U0149157

抗戰勝利臺灣光復
七十週年紀念專輯

潘長發著

文史哲出版社印行

國家圖書館出版品預行編目資料

抗戰勝利臺灣光復七十週年紀念專輯 / 潘長發著.--
初版.-- 臺北市：文史哲，民 105.11
頁；　公分
ISBN 978-986-314-339-0（平裝）

1.中日戰爭 2.臺灣光復 3.文集

628.507　　　　105022141

抗戰勝利臺灣光復
七十週年紀念專輯

著　者：潘　長　發
出版者：文史哲出版社
http:// www.lapen.com.tw
e-mail：lapen@ms74.hinet.net
登記證字號：行政院新聞局版臺業字五三三七號
發行人：彭　正　雄
發行所：文史哲出版社
印刷者：文史哲出版社
臺北市羅斯福路一段七十二巷四號
郵政劃撥帳號：一六一八〇一七五
電話886-2-23511028・傳真886-2-23965656

實價新臺幣四〇〇元

中華民國一〇五年（2016）十二月初版

ISBN 978-986-314-339-0　　65051

前言：抗戰勝利與臺灣光復

民國三十四年十月二十五日，國民政府在臺北公會堂接受日軍投降，被割據半世紀的臺灣，乃重回祖國懷抱……

民國三十四年對日抗戰勝利，臺灣、澎湖重回祖國懷抱。

回顧西元一八九五年，清廷與日本簽訂馬關條約，臺灣被迫割讓日本，國父孫中山先生曾數次來臺，積極奔走。革命先烈陳少白即奉派來臺成立興中會分會，聯結反清革命和抗日復臺力量，傳播革命火種。

臺灣被滿清割讓給日本後，臺灣同胞武裝和非武裝的抗日行動，前仆後繼。武昌起義後，臺灣志士抗日浪潮，更是受到鼓舞。

在武裝抗日行動方面；從唐景嵩、丘逢甲和劉永福領導自救行動，民國元年羅福星領導抗日起義，民國四年「噍吧哖」（西來庵）事件，以至民國十九年十月二十七日的最後一次「霧社」抗暴——臺灣原住民泰雅族的霧社分支賽德克族，由大頭目莫那魯道率領對日本殖民統治的抗暴行動。

在非武裝的抗日行動方面，期望從議會爭取自治和民主，並推動社會、政治和文化運動，如民國九年留日學生林獻堂和蔡惠如成立「新民會」，發起「臺灣議會設置請願運動」；十年起，蔣渭水醫師接續創立「臺灣文化協會」、「臺灣民眾黨」、「臺灣工友總聯盟」和「臺灣民報」，喚起臺灣民主意識，並呼應國父的「護法」運動。

臺灣同胞武裝和非武裝抗日，儘管都告失敗或遭壓制，但抗日種子不滅。

民國十六年，先總統蔣公領導北伐統一時，臺灣同胞已知悉蔣公追隨國父革命的建國理想，《臺灣民報》不時以極大篇幅轉載或介紹蔣公言論，直接、間接地啟發臺灣同胞的光復理念。

民國二十六年；日本發動盧溝橋事變，蔣委員長領導全國軍民團結抗戰並宣示收復臺灣決心。三十二年底，中美英三國領袖在開羅舉行會議，並發表開羅宣言，日本須將佔領的臺灣、澎湖歸還中華民國。

三十四年八月十四日，日本宣布無條件投降；十月二十五日，國民政府在臺北公會堂（今中山堂）接受日軍投降；被割據半世紀的臺灣，乃重回祖國懷抱。

三十五年，政府訂定十月二十五日為臺灣光復節，紀念這個意義非凡的日子。當年大陸與臺灣同胞共同努力，終於達到光復臺灣的心願，這段歷史，彌足珍貴。

「張燈結彩喜洋洋，勝利歌兒大家唱，唱遍城市和村莊，臺灣光復不能忘。不能忘，常思量，不能忘，常思量。國家恩惠情分深長，不能忘。……」這是《臺灣光復紀念歌》第一段歌詞，全曲寫於光復第二年，由陳波先生作詞，陳泗治先生作曲，優美曲調和愛國愛鄉的內涵，深深打動臺灣人心，也充分表達當年臺灣光復時，全民歡欣鼓舞的景況，這首歌曾經編入國民小學音樂教本及國語課本，至今仍然存在許多人的記憶中。

馬英九總統在九十九年為《紀念抗日戰爭勝利暨臺灣光復六十五週年特展專輯》作序道：「沒有抗戰勝利，臺灣就無法脫離日本殖民統治，也不能重回中華民國版圖，也就沒有臺灣光復。」

臺灣光復已七十年，在政府領導和全民努力下，經濟更富裕，政治更民主；社會更開放，希望在未來，全民持續奮鬥打拚，讓中華民國在國際社會，成為一個更加受人尊敬、讓人感動的國家。

參考資料：國防部史編室、臺灣省政府網站

抗戰勝利臺灣光復七十週年紀念專輯

目 次

第二輯 抗戰勝利六十週年……一一三

時論選粹

抗戰詩歌

第三輯 抗戰勝利五十週年

第一輯　抗戰勝利七十週年

歷史的回顧與省思

潘長發

對日抗戰是一場民族絕續存亡的殊死之戰，全國軍民前仆後繼，在 蔣委員長領導下，經過八年浴血奮戰，終於克服強敵，達成救亡圖存的神聖使命。粉碎日寇三月亡華的狂言，取消了百餘年來列強所迫訂的不平等條約，也光復了臺澎，東北失地，展現了我中華民族偉大的耐力與無比韌性。恢復中國人的自信與應有的尊嚴。

日本侵略中國，遠溯自唐朝高宗龍朔年（西元六六一年），海盜行為的倭奴，即在我渤海各地燒殺劫掠，殘害無武裝平民，使沿海居民深受其擾，痛苦萬分。

至明朝嘉靖卅二年（一五五三年）倭寇大舉侵略，由從前的海盜式，演進為正規軍隊出動，船艦千百艘，遮天蔽海而來，分別自浙江寧波及江蘇吳淞登陸，所到之處燒殺姦淫劫掠一空，無辜百姓受害，其狀悽慘！

至嘉靖卅四年，日寇自吳淞登陸後深入中國內地，由揚州而南京，再洗劫溧水、宜興、無錫等處。另一路由浙江紹興、高埠入安徽省徽寧，太平等處。每攻一城，居民全遭倭寇蹂躪，燒殺劫掠、四處流竄。至嘉靖卅五年，倭寇再侵略我福建、廣東等地，直到嘉靖四十二年幸為我名將戚繼光，俞大猷聯手征剿，給予日寇迎頭痛擊，致其主力慘敗，潰不成軍而紛紛逃逸，日寇經此重挫後，此後兩百多年再未侵擾我沿海地區。

日本自明治維新之後，實施中央集權，積極學習西方之制度與軍備之擴充，把「對外侵略」與「殖民」當作國家政策，其第一個侵略箭頭便疾指中國。一八七四年日寇攻擊臺灣牡丹社，造成重大死傷。一八七九年佔領琉球群島，使琉球成為其第一個殖民地。一八九四年山縣有朋發動甲午之戰，先擊敗我駐朝鮮清軍，繼渡黃海佔領旅順、大連和遼東半島，並在旅順屠城，日寇將被俘清軍及當地居民萬餘人全部殺光，其手段之殘酷史所罕見。

甲午清廷戰敗，割地賠款，臺澎與朝鮮淪入魔掌，我國賠款二億三千萬兩白銀，等於日本國家總預算五年之總和。日本得此鉅款後，舉國狂歡慶祝並即擴建鋼鐵廠，擴充武力，其後食髓知味，對侵略中國之野心更加熾烈！

一九〇〇年義和團殺洋人，焚教堂，挑起了八國聯軍攻北京之戰禍，此種「仇教」運動，本與日本無關，但日寇卻趁火打劫，出兵最多，最快，在平津劫掠金銀八百萬兩，白米廿五萬石，珠寶、骨董（含「北京人」頭骨）、字畫等不計其數。

一九一四年歐戰爆發，日本趁機加入協約國對德宣戰。並於同年十一月攻佔德國租借地——膠州灣與青島，並進而佔領膠濟鐵路及沿線各礦區，直至濟南車站。

一九一五年，日本洞悉袁世凱有稱帝野心，以不承認其帝制為要挾，於一月十八日無故向袁世凱提出廿一條要求，經過廿四次會議交涉，於五月九日袁世凱竟接受此項喪權辱國的廿一條要求，這就是「五九國恥」。使中國數千年獨立自主之國家，竟一變而成日本保護國或殖民地，令人憤慨！

一九二八（民國十七年）六月，日本關東軍在皇姑屯炸死張作霖，目的在促使中國繼續分裂，不料刺激張學良因父仇而增強愛國意識，使東北易幟，完成中國統一。此後我國積極建設東北，全國團結，一片奮發圖強景象，使日寇有所警覺，乃於民國廿年（一九三一）九月十八日製造萬寶山事件，並於晚間佔領瀋陽，造成「九一八事變」，日寇續於二個月內佔領全東北，除了黑龍江省主席馬占山堅決抵抗外，其餘二省幾無抵抗。

民國廿一年（一九三二）一月廿八日傍晚，日本海軍發動淞滬之戰，宣稱：「四小時佔領閘北，控制全上海」，隨即以陸海空聯合作戰向我進攻，我駐上海十九路軍奮起抵抗，戰鬥激烈，粉碎日軍多次攻勢，敵人乃動員國內援軍七萬七千人，戰艦三十多艘，航空母艦三艘，戰鬥機三百廿架繼續加入戰鬥，但我軍戰志高昂，屢挫敵鋒，日寇難以得逞，至三月四日國際聯盟出面斡旋要求雙方就地停火，日軍見中國軍隊戰志昂揚，陰謀難以得逞，乃於五月五日正式簽訂停戰協定。

民國二十六年（一九三七）七月七日，盧溝橋事件爆發，揭開了全面抗日戰爭的序幕，這是自一八九四年甲午戰後日本侵華血債之總結算，每一個中國人都感到忍無可忍，實在是

「犧牲已到最後關頭」於是「地不分南北東西，人不分男女老幼，團結一致抗戰到底」。

八年長期抗戰，喋血山河，無數同胞遭受日寇肆虐、蹂躪，其凶殘獸行罄竹難書，這一場驚天地而泣鬼神的民族自衛戰爭，關係我整個中華民族的絕續存亡，終在驚濤駭浪中艱苦奮戰獲得最後勝利，收復了臺澎和東北，解除了百年來列強所迫訂的不平等條約枷鎖，成為世界四強之一。

歲月不居，抗戰勝利轉眼已過七十週年，昔日喋血沙場的將士大半凋零，世人或已淡忘這段慘痛的泣血歷史，民族仇恨可以寬恕，但歷史不可忘記。

本書約請參與抗戰行動的資深教育家車潤豐先生撰寫抗戰簡史，將八年抗戰期間重大戰役逐一陳述，並將為國犧牲少將以上將領忠勇事蹟編寫傳略，以供後人參閱景仰。**另請詩人李玉撰寫抗戰詩歌，字字珠璣值得欣賞**。

漫長而艱辛的八年抗戰，使三千萬個家庭破碎，一億以上同胞流離失所，在飢餓與疾病中掙扎。敵人鐵蹄過處哀鴻遍野，廬舍成墟。這是中國人所遭受到史無前例的最大災難與屈辱！也由此顯露出大和民族的凶殘、陰狠、惡毒與醜陋的本質。

這段悲慘的海棠血淚，是整個中華民族的蒙難史，是每一個炎黃子孫永遠的痛！是全體中國人烙印在心坎上抹滅不掉的深深傷痕！緬懷這一頁慘痛的過去，更宜惕勵未來，發揚堅苦卓絕的抗戰精神，致力國家現代化發展，精誠團結，迎向璀燦的明天。

紀念抗戰應速建抗日戰爭紀念館

潘長發

自甲午戰爭後，百年以來，日本帝國主義者，便把侵略的矛頭，狠狠地瞄準了中國。百年以來，我中華民族飽受其軍事、政治與經濟的侵吞、壓榨，幾乎無日無之。直到今天，臺北街頭——尤其是忠孝東路一帶，日本商業的影子，緊緊地罩住我們的青少年。而蕞爾小島的臺灣，每年仍以百億以上的美元，去奉獻給「日本大老爺」，而且樂此不疲，欲罷不能，逐年都在增加中。

我們中國人，有一種很奇特的民族性，那就是勇於私鬥，怯於公戰。遇上了外侮，往往不知所措，而躊躇不前。

民國廿六年的七月七日，盧溝橋的砲聲，終於驚醒了亞洲的睡獅，揭開了神聖八年抗戰的序幕。我中華兒女拋頭顱、灑熱血，前仆後繼，寫下了無數可歌可泣的悲壯故事。三千萬軍民的死難，終獲最後勝利。收復了東北，光復了臺灣。如今事隔半個世紀了，六十歲以上的老人家，可以記憶猶在。但是一般青年，除了由書本上得到一些淺薄的印象外，隨著時間的推移，也會逐漸忘掉。

為了紀念八年抗戰的艱辛，無數軍民的死難。我們要讓我們的後代子孫，瞭解到半世紀前，曾發生在中國土地上，有一場生死存亡的聖戰，那是我們的前輩，用他們的血肉之軀，來延續了我們的國脈；延續了我們的歷史；維護了我中華民族的生存空間。我們要讓這驚天動地的史實永垂千古，讓為國捐軀的先烈義行、永銘在每一個中國人的心中。

因此我們要建一座「抗日戰爭紀念館」來紀錄以上的史蹟，不能讓這段泣血的歷史淡化或忘掉。

（原載民國八十四年九月一日心橋季刊）

臺灣應該建甚麼館

臺灣應該建七七抗戰紀念館及臺灣光復紀念館

車潤豐

立石以記功德始自秦代，漢繼秦之後，稱石為碑碣，延及歷代碑銘，頌揚功德，垂範後世用昭激勵。近代各國立碑建館亦在表彰其國家尊榮，以喚起其國民的愛國心和民族的自尊心，至於今日臺灣還應——該立什麼碑？建什麼館？先考察一下別的國家是怎樣的，例如法國巴黎所建的凱旋門，法國人認為是代表法國的尊榮，內壁所刻的馬賽進行曲，就是代表法國的民族精神。

一進美國首府華盛頓，就會看到華盛頓紀念塔、林肯紀念塔、傑佛遜紀念館和阿林頓國家公墓等，在第二次大戰硫磺島戰役中，那幾位扶起美國國旗的戰士塑像，栩栩如生，和在國會大廈所繪製的美國建國歷程，使其國民一望就會興起「國家、責任、榮譽」的愛國情操。豎立在珍珠港亞利桑那紀念館前那一大型碑牌詳列陣亡將士達二千四百多人以上、任人憑弔、俯瞰大海、波浪滔滔、眺望天際白雲悠悠，平添無限遐思與悼念。所以當布希總統主持珍珠港被偷襲五十週年紀念時，即泫然淚下。

馬來西亞建有國家紀念碑，為紀念其獨立戰爭陣亡將士而建，建立在吉隆坡之湖泊花園內，用巨大的青銅，塑成幾個巨人，其中最高一人，右手高舉其國旗，左手向上作勝利狀，以英勇的氣概，作為他們國家的精神標誌。

新加坡，除了以獅頭公園之獅頭魚身石像作為新加坡之標幟外，並在其政府大廈面對植物園中央及伊莉沙白公園，建有第二次大戰陣亡將士紀念塔，及日本佔領時期被殺的蒙難人員紀念塔，定期於每年二月十五日舉行追悼會，一定邀請日本大使參加。這是新加坡所做的愛國活動。再說到日本，在民國卅四年八月六日第一顆原子彈投落廣島，八月八日蘇俄對日宣戰，同日第二顆原子彈再投落於長崎，死亡雖然已達十餘萬人，尚不及他們在南京一次大屠殺三分之一呢，可是日本每年到八月七日一定要為其死難人民舉行追悼會，藉以喚起其國人勿忘國難的愛國情緒，現在日本選在太平洋戰爭五十週年，九一八事變六十週年的此時，通過法案允許派兵海外。如此日本軍國主義的野心很容易被點燃，日本軍國主義對中國之侵略，從甲午之戰到七七事變，曾造成中華民族生存發展史上，亙古所未有的最大浩劫。僅南京一次大屠殺就殺死中國人三十六萬，另有二千七百多萬死於抗戰的中國人的壘壘白骨，還暴露在沙礫呢！至於在甲午之戰馬關條約將臺灣割給日本時所激起本省同胞浴血抗日死難之慘烈，更是罄竹難書，任由他們用篡改歷史的卑劣手段，已難掩其惡了。

環顧四海，揆諸國情，在復興基地的臺灣，除已建有國父紀念館、中正紀念堂之外，當前迫切需要建立的乃是七七抗戰紀念館、和臺灣光復紀念館，而不是什麼二二八紀念碑。想想看！中國歷經八年對日浴血抗戰，犧牲三千萬軍民同胞的生命，才光復了臺灣、大陸沉淪中共以武力犯臺，又經古寧頭血戰，八二三砲戰，而使臺澎金馬安若磐石，於是才有今日民生樂利，富庶安康的生活，可是在臺灣每到七七則異常冷漠，似乎八年抗戰和我們毫無關係。到了臺北首府，迎入眼簾的是混亂的交通，市中電光閃閃的是什麼 KTV、MTV 和「馬殺雞」的理髮店，根本看不見八年抗戰的任何紀念文物和痕跡。

須知設立七七抗戰紀念館，一方面緬懷為國捐軀之三軍將士及死難同胞虔申悼念之忱，另一方面在使復興基地上每一同胞都能效法在抗戰中，人無分男女老幼、地無分本省外省，以國家至上、民族至上、團結奮鬥、堅忍不拔的精神，使臺灣更進步、更堅強、更富有、更繁榮，厚植雄偉的韌力，促進統一大業。

設立臺灣光復紀念館，在使居住在臺灣每一子民，人人了解臺灣的源流，俾我炎黃子孫，都能追遠懷祖而敬慎方來，怯除否定祖先，不認同國家民族，妄言臺灣人不是中國人，製造地域偏見，分裂國土，胸襟極為窄狹的臺獨主張。負起歷史傳承，以使我悠久固有文化，照灼寰宇，對列宗列祖有所交待。

（民國八十年十二月廿五日臺灣新生報登載）

中國抗日戰爭簡史

車潤豐

中國在廿世紀對世界和平最大貢獻是——「八年抗戰」要目：

一、起義抗日始自臺灣

二、七七盧溝橋事變爆發全面抗戰——含平津之戰

三、八一三淞滬大戰

四、南京陷落遭屠殺

五、華北戰場

晉北大同之役

平型關之役

忻口之役

娘子關太原之役

津浦線上的風雲

淞滬會戰插曲（民 26.8.16）

中國名列四強

蔣委員長榮任盟軍在中國戰區包括泰、越之最高統帥

取消不平等條約

九、國軍遠征印緬揚威異域

遠征軍初期入緬之戰

緬北滇西之反攻

知識青年從軍報國，編成青年遠征軍共九個師

十、日軍殘暴另一章——使用生化武器

十一、抗戰勝利日本投降

十二、結論

中國在廿世紀對世界和平最大的貢獻是——「八年抗戰」

在二十世紀行將結束之前，探討二十世紀的中國歷史總成績，有一場為民族生死存亡對日浴血抗戰，用碧血英魂創造了光榮的勝利，寫下了壯烈輝煌的史篇，促進世界和平。而我二千一百萬同胞，今日能在毫澎金馬享受自由民主、安和樂利的生活，飲水思源，自當以崇功懷德的心情，向抗戰先烈虔申崇敬感恩之忱。述往事，思來者，吾人理應取法歷史教訓，體認愛國愛鄉，犧牲奮鬥的抗戰精神，勇敢地邁向廿一世紀。因此有

對抗日戰爭全貌進行瞭解的必要。

一、起義抗日始自臺灣

有位王邦釗先生紀念抗戰文中寫道：「我這個臺胞，且說臺灣事，話說我們這兒，最近幾年，少數人為了追逐過分膨脹的政治慾念，凸顯個人聲望，常在不知不覺間，做出——該忘的不忘（如二二八），不該忘的卻忘了『七七抗戰』有悖常情的事而渾然不覺。生存在臺灣二千一百萬軍民同胞每個人都以『民主、自由、均富』為依歸，這種理念沒錯，錯的是忘掉自己的歷史文化，暴露出民族精神人格之墮落，于是就有人把我們八年抗戰勝利，光復臺灣，竟拾日本人牙慧改說為『終戰』，並說『甲午之戰把臺灣割給日本，乃是不幸中之大幸』云！甚至說『日軍在南京大屠殺，殺的是中國人不是臺灣人』有些謬說是忘掉了臺灣通史序中明明白白地指出：『洪維我祖先渡大海，入荒陬，以拓殖斯土之史實。』臺灣人就是中國人來臺灣的人，現在所說的本土化，應發掘本土所發生歷史故事，英傑賢豪，以資矜式勿流為族群間之狹隘區隔。」

臺灣本土抗日，遠自日本明治維新之後，日本把第一侵略箭頭卻對準著中國，首先有一八七四年「臺灣牡丹社事件」，迨甲午之戰，割讓臺灣，所有臺灣同胞，義不臣倭，先推舉唐景崧、劉永福之領導抗日，續有陳秋菊、胡嘉猷、羅福星、余清芳、黃國鎮、林添丁、陳發、阮振、黃茂松、陳魚，林少貓、鄭吉生等繼起領導抗日，從北到南，誓死抵抗，留下天地正氣，一八九五年十二月卅一日金色里的日本憲兵隊全部被殲，義軍包圍宜蘭七日，淡水也發生戰爭，是役日軍報復，屠殺我臺灣軍民三千多人，一八九六年「雲林事件」，我抗日健兒迭予日軍以打擊，日軍乃採恐怖手段，以大規模屠殺，姦淫、縱火作報復，平民遇害者達三萬人，臺灣同胞在日寇暴政之下，抗日事件此起彼落，從未間斷，如大甲「大湖事件」、新竹「北埔事件」、台南「關帝廟事件」和民國四年的「噍吧哖事件（現名玉井）」尤為慘烈，日軍以血洗噍吧哖為報復，唯噍吧哖一帶全部居民，不論男女老幼，甚至小學生，被迫一併排成列成行，悉受日軍排槍射擊慘死者不下三萬多人，血海深仇，不共戴天。民國十九年，日本調集軍警三千人，對霧社加以圍攻，除使用重砲攻擊外，更不顧人道使用毒氣，砍下原住民同胞頭顱，堆積如山，慘絕人寰，為歷史留下空前未有之殘酷紀錄。

綜觀日人統治臺灣五十年，對臺灣民眾，口頭說要皇民化運動（臺灣人同化於日本人），實際上多方迫害，動輒開槍鎮壓，集體屠殺，二次大戰時，男子被迫入營，充當侵略祖國之砲灰，亡命天涯。女子則被迫為慰安婦，生不如死，屏東縣長邱連輝回憶他童年時說：「記得大東亞戰爭末期，日本前線缺糧，日本向臺灣人強求供糧，人民實已無糧可繳（整日只吃地瓜），家家戶戶要派一代表到派出所接受審問處罰，當時年僅十歲的我，和其他大人整排跪在派出所，日本警察大聲斥責，還拿籐條抽打每個人，輪到我時，我生氣的舉起木屐抵抗，而發出『啊』的一聲，警察罵道：『馬鹿野郎（混蛋的意思）！』，另一巡官走過來問：『小孩，誰叫你來的？』我回答：『家父過世，祖父年老有病，所以由我代表』，我也指責他們這樣打人，太不人道，這個巡官說我勇敢，要我回家，因此警察也沒再打其他鄉親了。」總之，日本佔領臺灣，雖達五十年而始終視臺灣為被征服之俘虜，稍有不服，則濫捕濫殺，綜計五十年臺灣人民無故被殺被囚者，不下數十萬人，血染我山河，臺灣人民首當其衝，起義抗日始自臺灣，若言：「甲午之戰把臺灣割給日本是不幸中之大幸」，仰問青天「公理何在？人性何存？」

二、七七盧溝橋事變爆發全面抗戰

七七國魂盧溝橋為古都八大勝景之一，清乾隆御筆親題——「盧溝曉月」四個大字，筆力遒勁，學人王船山有詩云：

「盧溝南望儘塵埃，木脫霜寒大漠開
天海詩情驢背得，關山秋色雨中來」

日本人既不賞景，也不吟詩，一心一意無理挑釁，民國廿六年（一九三七）七月七日駐豐台日軍舉行夜間演習以宛平城外盧溝橋為其設定的目標，日軍藉口一名士兵失蹤，要求入宛平縣城搜查，不久失蹤日兵歸隊，日軍仍要求入城調查，旋即向宛平城進攻，第二十九軍、第三十七師、第二一九團團長吉星文以守土有責，立予還擊，雙方射擊約一小時，當日軍突擊盧溝橋時，受我軍斜面陣地火力射擊，打得他們落花流水，時在七月八日拂曉四時五十分，是為「盧溝橋事變」，從此展開八年抗戰的序幕。

當日本考慮以其目前駐屯軍，實非廿九軍之敵，意圖拖延時間，作緩兵之計以待援，于是就由其在北平之松井與我方秦德純將軍商談停戰協定，迨日援軍到達，即發起平津南苑之戰，日軍于七月二十八日，以關東軍增援之鈴木混成旅團與酒井之機械化旅團，配以飛機四十架，發動黎明攻擊，我二十九軍本為善戰之部隊，雖處在四面圍困犬牙交錯中，奮起與戰，仍能克豐台，攻廊房，但以備戰未周，終未能阻止日軍進攻南苑及團河之攻勢，守南苑係趙登禹之一三二師，所部駐地遼闊，駐南苑兵力僅為師之直屬部隊，日軍以飛機四十架輪番轟炸，調集三千餘機械化部隊猛烈攻擊，我軍死傷極為慘重，以大刀襲擊日軍聞名的趙登禹師長，親率左右官兵數十人，手持機槍，身先士卒，衝向敵陣，身中廿二彈壯烈成仁，隨其左右的數十人，無一生還，全部殉國，何等悲壯！

當南苑猛烈激戰時，北平城外之團河（廿九軍軍部）亦在苦戰中，副軍長佟麟閣，在奔馳指揮時，不幸中彈殉國團河之戰失利。趙、佟兩將軍殉難，七月廿八日下午宋哲元軍長決定二十九軍退守保定，留張自忠為北平市長兼代冀察政務委員會委員長，令三十八師副師長為天津市長，張自忠受命後，不禁泫然涕下，一俟部隊完全撤出北平，達成延滯日軍之目的，即化裝成平民潛出復命。

天津方面七月廿七日在總、東、西三個車站與日軍激戰終日，我軍士氣高昂，日軍敗退。七月卅日晨，日海軍陸戰隊在大沽口登陸，三路向天津進攻，我軍逐屋巷戰，民眾紛紛自動支援，砲聲隆隆，火光燭天，至下午二時，戰況沉寂，津郊各部隊向津浦路靜海，唐官屯等地區撤退，天津遂告陷落。

平津陷落後，蔣委員長于七月卅一日發表告全體將士書，八月七日召開國防會議，決定全面抗戰採持久消耗戰以粉碎日軍速戰速決之迷夢。將全國劃分為五個戰區，統一指揮（後擴為十個戰區以上）。

三、八一三淞滬大戰

平津陷落之後，盧溝橋的戰火，向南北兩方擴張，北方擴展到察哈爾、南口、忻口、太原；南方則擴展為最激烈的淞滬大會戰。蔣委員長衡環全般戰局之發展，打破「日軍速戰速決」之企圖，先以七個師向察哈爾、南口進發，以拊北平日軍之背，並置大軍於山西，對沿平津線之作戰，形成側翼威脅，更以七十個師的兵力，先後投入淞滬之戰，迫使日軍將主作戰由華北移於華東上海方面，即在改變其由北到南，成為由東到西軸線，淞滬會戰與日軍激戰四月之久，掩護長江下游大量戰略物資，工業西遷，接成有機體的大後方，加大縱深，政府遷都重慶，以利持久抗戰。

說到淞滬會戰本身是在八月十三日，日軍集結其駐滬海軍陸戰隊及陸軍約萬餘人，向我保安隊進攻，淞滬戰事即告揭幕。由於國軍先後投入淞滬戰場七十個師及七個旅向日軍猛攻，迫使日軍七次向上海增援，由十萬人增至三十萬人、砲三百門、戰車兩百輛、飛機四百架，傾巢來犯，經我精銳部隊，迎頭痛擊，血戰四月，寸土必爭，日人揚言三天攻佔上海，三個月可征服中國，至此死傷慘重，屢屢求援，無以自喻。惟仍挾其陸海空協同作戰之優勢，與多艘砲艦之火力於瀏河一帶強行登陸，與我朱紹良、羅卓英、薛岳三個集團軍對峙於北站、劉行、瀏河之線，展開激烈的陣地戰，往返衝殺，撼天地而泣鬼神，獲得國際上高度讚揚，我空軍第四大隊長高志航於八一四率機迎戰，獲得六比〇空戰大捷，首創我空軍光榮歷史，定為空軍節。說到淞滬會戰壯烈事蹟，實書不勝書。

八月二十日，日軍對瀏河、羅店、獅子林、蘊藻濱之線，以飛機、艦砲、坦克之掩護向我軍陣地猛烈攻擊，羅卓英部九十八師、五八二團第三營營長姚子青，率部固守寶山城，苦戰九日全營官兵皆壯烈成仁，第八一軍軍長羅卓英賦七絕一首致哀：

「英雄年少氣如雲，八載相從念虎賁
今日海疆成壯節，臨風洒淚哭將軍」

國軍戰報中，第六十七師一個連，在激戰中僅剩四人，其中一人將連長屍體背往後方，其餘三人死守陣地不退，另一連只剩連長一人，仍死守陣地。十月五日敵以戰車廿輛，攻我固守徐宅第十一師之雷漢池營，施放毒氣，我士兵十八人手榴彈捆紮於全身，伏於戰車下，使車毀人亡，死事之壯烈，中外為之震駭，雷營長是在毒氣火海下，誓死不退，與陣地共存亡，羅卓英賦詩悼念云：

「姚營而後有雷營，濺血成仁性命輕，
毒氣戰車何足畏，浩然正氣作干城。」

在淞滬戰場陣亡的將領尚有：廖磊部師長朱耀華、六十七軍軍長吳克仁、一五四師師長饒國華、八十八師旅長黃梅興、一七〇師五一〇旅長龐漢禎、一七一師之五一一旅長秦霖均「陣亡旅長共九人餘從略」。

稅警總團第四團長丘之紀、七十八師團長楊傑、李友梅。另有八百壯士振軍魂。第八十六師長孫元良下令第五二四團團長謝晉元，率領八百壯士固守四行倉庫，繼續作戰，以掩護閘北地區友軍撤退，有女童軍楊惠敏小姐冒死獻上那面青天白日滿地紅的國旗，冉冉上升時，上海租界各外邦人士也都肅然起敬，一致讚嘆中國抗戰精神何等偉大。所有中國同胞無不熱淚盈眶，振臂歡呼。

八月中旬蔣委員長先後親臨前線指示機宜，士氣大振，在淞滬戰役中以大場、羅店戰鬥極為慘烈，兵工署長俞大維受命以化學兵總隊大口徑李文斯抛射砲、由總隊長李忍濤將軍親率一個中隊砲十六門，乘夜暗經南翔推進至距敵陣二千五百多公尺大場一帶佔領陣地，這十六門巨砲改用高爆彈藉電導一次發射，轟隆之聲地動山搖，全戰場一時沉寂，給日軍海軍陸戰隊以重創，是役有清大畢業正在美國康乃爾大學進修博士之祝新民青年回國參加抗戰，不幸陣亡！清華大學于七十六年十月卅一日有哀國殤，祝新民先生五十週年祭：

「殉國五十載，洛水淚不乾，
捨生成仁志，魂歸黃花節。」

綜觀淞滬會戰日軍挾海空優勢及精銳武器向我猛攻，戰況慘烈，日軍傷亡十多萬人，我軍傷亡三十多萬人，陣亡軍長一人，師長二人，旅長九人，團長三人，營、連、排長從略，打破敵方三個月亡華之迷夢，壯國際視聽。起迄時間廿六年由八月十三至十二月十三日。

四、南京陷落遭屠城

我軍自淞滬地區將主力撤向浙皖贛邊境後，日軍主力則由京滬線直迫南京，戰至廿六年十二月十二日，雨花臺、紫金山各要點先後失守，敵突入中華門、光華門、中山門發生巷戰，南京衛戍司令唐生智以戰局無法挽回，遂下令放棄南京，分路突圍。惟原係破釜沉舟，準備死守，初無撤退計劃，故僅向東方突圍之第六十六軍安全轉移浙皖邊區外，大部均與城共存亡，壯烈犧牲，十三日敵佔南京，縱兵放火，劫掠、屠殺、姦淫，將我無辜民眾，及失去抵抗之徒手士兵，用繩索捆綁，每百人或數百連成一團，用機槍掃射，或用汽油焚燒，並藉搜索為名，挨戶侵入民宅各機關內，將所有貴重物品及中國藝術品捆載而去，至於被強暴婦女，則難計其數，有遭強淫後割去雙乳，或以陰部插入刺刀割腹，或裸其下體攝影，相顧為樂。．婦女一日之內有被輪姦三十七次者，老者八十餘歲，少者十二歲之婦女，凡被發現，無一能倖免其難。壯年或年輕形若士兵者男子，全趕至新街口廣場，悉予射殺，於臨河地帶，則推入江河，長江流水為之色赤，浮屍漂流三月未盡，其殺人之法，手段百出，「有狗吃刑」，即將人身埋入地下，頭露地上，令狼犬撲食，又有「豬烤刑」，將活人推入火坑，活活燒死，「有鉤魚刑」，將人綑綁及以鐵鉤穿入舌嘴，然後活活吊死。日兵以刺刀高舉人頭，滿街嬉笑，以殺人為樂，平均殺我人民每日總達數千人。東京「日日新聞」刊出一篇隨軍記者的文章，題目：「紫金山下」；是報導准尉向井和野田約定殺人比賽，野田殺了中國人一百零五人，向井殺了一百零六人，因此二人重新再賭，看誰每天殺滿一百五十名中國人。（詳見郭岐著「南京大屠殺」民國六十七年中外雜誌社出版）

國際救濟委員會，設婦女收容所於金陵大學，日軍以刺刀尖強迫交出婦女七百人，以卡車運往營區，有去無回，統計南京婦女被凌辱至死者，在十萬人以上。屠城三月屠殺我同胞初估總在三十六萬人以上，一時道路皆赤，屍塞河流，滔滔長江東逝水，那是中華民族的淚，那是抗日將士的血。全城血腥撲鼻，往日繁華頓成鬼域。

南京大屠殺之罪魁禍首，為指揮日軍進攻南京並作有計畫屠城之師團長谷壽夫。在勝利後審判，處以死刑，審判長石美瑜律師，敘述谷壽夫被判死刑之理由，長達五千言，被害人李秀英（現住南京市）郭岐、殷有餘等出庭作證，痛陳如繪。民國三十六年四月廿六日中午劊子手谷壽夫在南京雨花臺執行槍決。圍觀著如堵。

南京陷落，日本人以為我國之抗戰已至土崩瓦解階段，其燒殺淫掠企圖震嚇民心士氣，豈不知我中華民族有威武不屈之浩然正氣，任何凶殘，不但不為威嚇，且更引起全國軍民，萬眾一心，同仇敵愾，民國二十六年十二月十七日蔣委員長發表「我軍退出南京告國民書」詳告國人決心抗戰到底，必獲最後勝利，為當時激勵民心士氣重要文獻。

五、華北戰場

我軍於廿六年七月卅日及八月四日先後撤出北平、天津，敵自進入平津之後，即兵分三路，一沿平綏西進，其二、三路則沿平漢、津浦兩鐵路線南下，其沿平綏之敵於攻陷張家口，南口之後，又兵分南北二路，南路沿平綏線西進，由天鎮，陽高直攻大同。北路與綏遠察北之偽軍聯合，進取歸綏、包頭。敵軍自掠取察省後，即分向晉北進攻，企圖佔領太原以控制華北。

晉北大同之役

大同為晉北重鎮，而天鎮、陽高為大同之門戶，第二戰區司令長官閻錫山，命李服膺之第十一軍固守天鎮，陽高之線臨行面囑：「必與陣地共存亡」李到防後，未趕築工事，警戒鬆弛，日寇突擊而至，未經激戰，即行放棄，以致大同淪敵，晉北形勢劇轉閻百川效武侯斬馬稷揮淚將李服膺審訊正法，並自請中央降級。

平型關之役

我軍為確保晉北要地，乃佈防於平型關——雁門關神池之線第二戰區以楊愛源為右地區總司令，孫楚為副總司令，轄第三十三軍，第十七軍、第十五軍傅作義為左地區總司令，轄六十一軍、第三十四軍、第十九軍，以第七十一師與第二師為預備隊，日軍以第五師團主力向平型關前進，廿六年九月廿二日薄暮以步砲聯合向我駐平型關第七十三師陣地攻擊，廿三日孫副總司令命八十四師出擊，戰況激烈，閻長官即令傅作義率預備隊加入戰鬥，更令八路軍一一五師林彪部迂迴游擊，其到達平型關戰場，從事游擊，僅劫取戰利品自肥而已對此一戰役，並未參加正面作戰，依據日本陸軍北支那作戰史記述：「在平型關被林彪襲擊之日軍，為第五師團第廿一旅所屬補給部隊云。」

忻口之役

二十六年九月卅日國軍平型關守軍向神堂轉進，駐雁門關之守軍向楊方口線移動，日寇跟蹤追擊，以第五師團之一部，向五台山一帶警戒，關東軍鈴木所部由繁峙向崞縣前進，另一路由朔縣向寧武前進，企圖直下太原，以解決華北戰局，敵自攻下崞縣平原後，即以第五師團，及關東軍第一第十二師團約五萬人，於十月十二日以中央突破方式攻擊忻口陣地之南懷化高地，我軍以忻口為陣地之軸心，區分為三個兵團，以劉茂恩為右翼兵團，王靖國為中央兵團，李默庵為左翼兵團，自十三日發生戰鬥後，至十八日止，陣線穩固，且迭次出擊，殲滅敵三、四萬人，造成華北各戰場中最有利之戰局，郝軍長夢齡、劉師長家騏均於是役殉國，後以受晉東不利之影響，遂于十一月二日夜，自動向太原附近轉進。

娘子關太原之役

娘子關係唐朝平陽公主曾駐兵於此而得名，為晉東門戶，與晉北之雁門關，平型關同為山西之要隘，孫連仲率部抵達娘子關時，日軍已蜂湧而至，並佔領關東南之雪花山，山勢高峻，遂以該山火力瞰制娘子關，而以戰車，騎兵猛撲該關各陣地，我守軍沉著抵抗，戰鬥殊至為慘烈，一時如嶺倒峰崩，屍體枕藉，敵我傷亡俱重，守軍陣地屹立不搖，敵攻娘子關頓挫，乃繞道該關南方之舊關，當時尚無重兵駐守，幸我孫連仲馳援部隊到達，肉博奮戰，將舊關附近高地，谷底，逐次攻克，轉危為安，是役殲敵兩聯隊以上，我軍教導團僅餘三十人，團長負重傷，山谷中屍體橫陳，血流所被，溪水為赤，孫連仲將軍在山坡懸壁上，勒石——「民族英雄」四大字，留作紀念。

十一月六日，榆次之日軍攻陷陽曲晉原，與南下之日軍圍犯太原，日軍司令官寺內壽，與關東軍司令官植田謙吉，均親臨指揮，其北、東兩路計有第一、第十四、第十六等四個師團，及步兵一聯隊，騎兵一聯隊，十一月七日敵軍攻佔清原，太原已完全陷於孤立，日軍除猛烈轟炸及以重砲密集射擊太原城廂外，並使用空降部隊，被我軍民捕殺甚眾，在衛總司令立煌指揮下，晝夜血戰九日夜，太原東，北兩門被日軍攻入，遂即發生巷戰，我軍主力部隊由西門撤出太原，移師交城，汾陽、徐溝、太谷之線。

綜計晉境作戰，日軍傷亡五萬七千人，我軍傷亡十二萬九千人，陣亡軍長一人，師長一人，旅長三人。

津浦線上的風雲

津浦線滄縣緊急之時，統帥部一再電令山東省主席兼第三集團軍總司令韓復渠，派兵應援，而韓觀望不前，迨滄縣陷落，敵直入魯境，向濟南進犯，韓離濟南赴泰安，以廿師留守濟南，廿六年十二月廿七日敵陷濟南，統帥部電令固守魯南，亦不置理，依戰時軍律，將韓復渠判處死刑。

中條山之盲腸

我軍在晉境會戰後，已將主力轉進到中條山，呂梁山及太行山，第二戰區司令長官閻錫山長官部設於呂梁山名曰克難坡，第一戰區司令長官衛立煌將長官部設於洛陽，進出中條山，晉省之敵位於狹長之交通線上，隨時隨地在我軍威脅之下，不斷受我襲擊，敵曾數犯澤滋，七攻中條，皆被我軍先後擊退，敵軍最感頭痛，喻為盲腸，廿八年五月下旬至七月下旬，敵死不下二萬餘人。

台兒莊大捷

自廿六年底南京陷落後，我政府已西遷重慶，軍事委員會遷往漢口，廿七年初，重行調整戰鬥序列，將南北戰場劃分為六個戰區，台兒莊位於棗莊、嶧縣之南，為魯蘇交界之處，屬李宗仁之第五戰區，長官部設在徐州，敵第十師團磯谷廉介部於攻佔滕縣後，以一部南下韓莊而以瀨谷旅團主力，沿台棗支線前進，欲以迅雷之勢攻佔台兒莊，以為南攻徐州之據點，適我孫連仲部已早到達，予以迎頭痛擊，湯恩伯軍團之王仲廉軍，此時尚在嶧縣附近與敵對峙，另以一一〇師接替關麟徵之運河南岸防務，以使關麟徵軍向嶧縣以東地區挺進，會合王仲廉軍攻敵側背，此時敵增援部隊及磯谷師團主力，全部被我孫連仲部吸引於台兒莊附近地區，接觸戰鬥至為激烈。

當台兒莊外圍滕縣保衛戰中，我守軍一二二師長王銘重中彈負重傷，高呼「中華民國萬歲」舉槍自戕，縣長周同，從城牆一躍而下，墜城以殉國，日軍進入滕城後，該師官兵，逐屋奮戰，陣亡二千七百人，日軍傷亡二倍於我，十七日滕縣失陷。

台兒莊雖村落，自古即為徐州東北之門戶，亦屬古戰場之一，沿村築有城垣，城壁用磚砌成，高可數丈，四週建有堡樓，我守莊部隊為孫連仲部之池峰城三十一師，官兵均抱與台兒莊共存亡之決心，敵以磯谷師團之主力，運用其野砲六十餘門，重砲十餘門，戰車三十輛之優勢，猛撲圍攻，我守軍奮勇抵抗，反復白刃肉搏，雖敵已突入我台兒莊陣地四分之三，我守軍仍屹然固守，力戰不搖，此時孫連仲戰於內線，湯恩伯戰於外線，敵之主力為孫連仲部所吸引，我湯恩伯軍團，即向嶧、棗兩地猛攻，犯台兒莊之敵外圍已全為我軍包圍。三月卅一日孫連仲軍發起反攻，將突入莊內之部全部肅清，乘勝蹀血追擊二十餘里，我軍連克大莊、張樓，向嶧棗地區攻擊，日之援軍經我截擊，死傷甚眾，其主力已無法集中，而此時黃光華之一三九師，周碞之第六師，杜聿明之機械化部隊，先後到達戰場，軍威益盛。

台兒莊戰役自民國廿七年三月廿四日至四月六日，日軍經我內外夾擊，糧彈不繼，火力微弱，乃由毒氣掩護突圍，我軍乘勝追擊，敵之板垣師團，磯谷師團及一〇九師團，共三萬餘人，大都被我殲滅，其餘向北潰退，而我堵擊軍團萬福麟部，在魯西沿津浦路南下，將敵退路截斷敵乃利用嶧縣附近地形，負隅孤守待援，此役我擄獲戰利品甚多，是為抗戰初期最大一次勝利，第二集團軍參謀長何章海將軍說：台兒莊城塞拉鋸戰一天比一天激烈，在清掃戰場時，屍體累累，不忍卒視，詩人王陵一先生曾賦台兒莊大捷詩一首：

鐵券河山戰鼓殷，臨沂春服萬朱顏，

公仇十世無情報，狂虜千營一夕燔。
皇漢大風芒碭際，元戎神武指顧間，
台兒莊畔明明月，起為中興照故關。

徐州大軍轉進豫鄂

二十七年四月下旬以來，晉綏及蘇皖各戰場之敵，集中三十餘萬人，陸續向津浦南北兩段輸送，企圖包圍我徐州之大軍，五月上旬津浦南段之敵，除一部進攻合肥牽制國軍外，更有第九師團及井關機械化部隊，循渦河出蒙城，陷永城，直趨商邱，斷隴海路，更以一部向徐州推進，位於蚌埠之敵，第一、第三、第九各師團之一部，沿鐵路北犯，除一部進犯宿縣外，另由蕭縣睢溪口直向徐州，我軍廖磊部與敵激戰後，向西轉移。

徐州、臨沂等地區在全般戰略上形成凸出，態勢不利，我孫桐萱部，及商震、龐炳勛等部，在魯西開闊地形上，無險可守，敵到處突竄，我節節抵抗，以遲滯敵人向隴海路南進，為避免不利之決戰，乃決留廿四集團軍於蘇北，第六十九軍及海軍陸戰隊留魯中、魯南山區，建立游擊根據地，第五戰區主力西移，並以一部部署於除州外圍，以掩護國軍之轉進，於五月下旬我孫連仲，湯恩伯等部，各抵豫南、鄂北指定地點，徐州則經由劉汝明部激烈抵抗後，于五月十九日放棄，敵軍企圖包圍我魯南大軍計劃，全歸泡影，而徐州會戰，亦於此時告終。

黃河怒吼水淹日寇

二十七年五月十八日我徐州大軍西移之時，位於平漢線上土肥原之十四師團主力，陸空並進，大舉南犯。

二十七年六月八日，花園口黃河決口，起初水勢不大，每小時約為三公里，水高不過一公尺，人民尚可扶老攜幼西向逃水患，旋水流逐次湍發，決口擴大，形成滔滔洪流，由中牟而尉氏而淮陽至豫入皖蘇一片汪洋，緊追國軍西撤之敵第十四、第九、第十、第十三各師團及第二師團之一部，猝遇黃河洪水，不及撤退，四個師團及其機械化部隊被淹損失在二萬人以上，戰車重武器陷入泥淖，使日軍攻佔鄭州一鼓作氣衝入武漢之計畫，頓成泡影，此一地區，以後稱之為黃泛區。

六、中戰場

長江沸騰——武漢會戰

當我軍放棄南京之際，敵欲迫我屈服而未能如願，故於徐州會戰後，敵即轉用兵力於長江方面，企圖深入武漢，破壞我抗戰中心地帶，使我不能繼續抗戰。

民國廿七年六月十二日敵先以陸軍犯安慶，打通合肥安慶公路，並進攻潛山、太湖。六月廿三日敵以波田支隊，在海空軍掩護下進攻馬當，七月二日又進攻湖口，敵軍在馬當、湖口兩處均使用不人道之毒氣攻擊，馬當于六月廿六日失守，湖口於七月五日失守，七月廿三日敵復在九江登陸，遂展開武漢會戰。

此次會戰自六月十二日敵在安慶登陸起，至十月廿五日敵佔武漢止，歷時約四個半月，雙方使用兵力，中國十二個軍（六十二個師）共六十萬人，日本十三個師團共四十一萬人，戰場縱深四百公里，大小戰鬥數百次，敵機三百架助戰，並多次使用毒氣，我軍傷亡廿五萬四千人，敵軍死傷亦在二十萬以上，其所使用之十三個師團竟補充五六次之多，敵之海空軍亦受重大損失；例如，在漢口一次空戰，我空軍以十九架飛機起飛迎戰，擊落敵機十四架，晝夜轟炸東流九江間敵之艦船及沿江機場，先後出動數十次，炸沉敵船十二艘傷廿九艘，使敵增援接濟均感困難。

在廣州失守，粵漢路運輸阻斷之後，武漢在戰爭上之實質價值已失，同時我在大後方西南、西北多項戰時建設，亦已建立基礎，為貫徹我國持久抗戰之基本決策，此時自應避免與敵決戰，故放棄武漢並不足以影響抗戰前途。蔣委員長為加強全國軍民抗戰信心，特於廿七年十月卅一日發表「武漢撤退告全國軍民書」明顯宣告寧為玉碎，不為瓦全抗戰到底最大決心，並期我全國軍民更能盡其最艱辛之努力與大無畏奮鬥精神，以求得最後勝利，略謂在我軍方略就空間言，不能為狹小之核心而忘廣大之圖，以時間言，不能為一時之得失而忽略久長之計。願吾同胞深切記取我抗戰之一貫方針，一曰持久抗戰，二曰全面戰爭，三曰爭取主動。

二十七年十一月廿五日蔣委員長在南嶽衡山召開軍事會議，二百餘位高級將領與會，會議目的在檢討第一期抗戰得失，策定今後方針，確定整軍建軍方案，為抗日軍事之重要轉捩點！

一、抗日戰爭只分二個時期，第一時期為民國二十六年七月七日開始，至武漢、岳陽淪陷止，從今日開始抗戰已進入第二期。一般所說南京失陷為第一期徐州轉進為第二期，保衛武漢為第三期，均不適當，應即改進。

二、抗日戰爭在戰略上，第一期是各種勝利條件準備完成，第二期抗戰特質在轉守為攻，轉敗為勝。

三、餘從略…………。

南昌會戰

起訖時間：民國二十八年三月十七日至五月十二日

作戰地區：贛北地區

雙方參戰兵力：中國十二個軍（三十四個師）日本四個師團

作戰概要：日軍以飛機、重砲、毒氣彈猛攻，戰況激烈，南昌失陷後，我軍發動反攻，敵以飛機狂炸，致攻勢頓挫，此役日軍傷亡三萬人，我軍傷亡五萬人，陣亡軍長陳安寶一人。

長沙大捷

第一次長沙大捷：

起訖時間：二十八年九月十四日至十月十三日

作戰地區：長沙附近

雙方參戰兵力：中國十六個軍（三十九個師）約二十萬五千人，日本約五個師團共十五萬餘人。

作戰概要：民國二十八年九月初，日軍設立對華派遣軍總司令任西尾為總司令，企圖打開軍事僵局，首以長沙為攻擊目標，湘北之敵於十九日起，向我新牆河南岸第五十二軍陣地進攻，並施放毒氣，煙幕掩護其渡河，經我軍冒毒火抵抗，激戰三日敵未得逞，迄廿三日晨，敵在其海空軍協力下分三路進犯，十月二日我軍反攻，猛烈圍剿，日軍大敗，我軍追擊，當地民眾紛起協同殺敵，日軍望風潰退，死傷四萬人以上，敵經半年準備，挾陸空十五萬之眾，並不顧人道大量使用毒氣，殊不料大遭挫敗，促成我長沙會戰第一次大捷。

在九月廿二日當日軍以雷霆萬鈞之勢，向我新牆河草鞋嶺猛烈攻擊時，我五十二軍第一九五師有一個排戰至最後一人是個新兵叫任連子的，收集陣亡將士身上的手榴彈，一顆一顆的投向來犯之敵，穩住陣地以待援，寫下光輝感人的一頁。

第二次長沙大捷：

起訖時間：卅年九月中旬至十月上旬

作戰地區：湘北

雙方參戰兵力：中國十四個軍（三十六個師）約三十萬人，日軍六個師團，共十三萬人。

作戰概要：

敵用閃擊戰向我猛攻，一度進入長沙，我軍集結後全力反攻，痛殲犯敵，此役日軍傷亡四萬三千人，我軍傷亡三萬餘人，陣亡師長李學卿，少將副師長賴傳湘。

第三次長沙大捷：

起訖時間：三十年十二月下旬至卅一年一月中旬

作戰地區：同前

雙方參戰兵力：中國十四個軍（三十六個師）近三十萬人，日本四個師團，兩個旅團共十五萬人。

作戰概要：

自民國卅年十二月八日，敵發動太平洋戰事以來，為牽制我軍增援廣九，即發動第三次長沙會戰，敵對我兵力部署判斷錯誤，冒險進犯，遭我包圍痛擊，損失慘重，此役日軍傷亡五萬六千九百四十四人，俘敵一三九名，比進攻香港日軍傷亡多二倍半，我軍傷亡二萬七千人。俘獲敵馬二百七十匹，步騎槍一千一百三十八枝，機槍一百一十五挺，砲十一門，手槍廿枝，擲彈筒廿具。

張治中火焚長沙，是在廿七年十一月十三日夜，見武漢、廣州淪陷後，心存恐懼，張時任湖南省主席，而授所屬長沙實施焦土抗戰，裁定在敵人距離長沙三十里時，即將長沙付之一炬，指定長沙警備司令酆悌，警察局長文重孚，保安團長徐崑等三人，負責執行，後知闖下大禍，把責任推到他們三人身上，判處死刑，長沙市民對張治中之冤孽年年不忘，每到過年時有流行一付門聯為：

治績無存，兩大方案一把火

中心胡忍，三顆人頭萬古冤

橫聯——「張皇失措」

棗宜會戰

起訖時間：二十九年五月下旬至六月中旬

作戰地區：湖北棗陽、宜昌附近

雙方參戰兵力：中國十五個軍（五十三個師）三十五萬人，日本約六個師團二十五萬人。

作戰概要：

敵以兩路進攻，佔領宜昌，我以運動戰將敵反包圍，激戰於棗陽，宜昌等地，予敵以重創，使日軍傷亡四萬五千人，我軍傷亡六萬七千人，陣亡集團軍總司令張自忠一人，師長鍾毅一人。在棗宜會戰中，敵軍受到重創，有一部竄至張家集南瓜店附近，我卅三集團軍總司令張自忠親率其特務營及七十四師之一部，往返追擊，沿途斬獲無算，日寇知道脫逃無望，乃回師返撲，見我孤軍窮追，並無後繼，即匯集所部，將張軍包圍於宜城城東北角張家集之南瓜店，經日夜之激戰，白刃交鋒，衝鋒十餘次，張軍糧彈兩缺，傷亡殆盡，張自忠奮勇督戰，身中五彈，抽出蔣委員長所贈刻有成功成仁之佩劍，壯烈自戕，蔣委員長親輓：「英烈千秋」一，其生前每以左列詩句訓勉部屬：

汗馬黃沙百戰勳，神州多難待諸君，
從來王業歸漢有，豈可江山令賊吞。

噩耗傳來其夫人李敏慧正臥病在床，拒醫絕食七日殉節，真是：「一片丹心照日月，千秋青史耀人寰。」後人有詩悼念云：

拚將一死明心蹟，洗卻萬年通敵名，
浩氣長留襄水畔，千秋俎豆福蒼生。

因張自忠當七七事變後，奉命留北平忍辱負重與敵周旋，以爭取我備戰時間，一般人不明真象，喻之為漢奸，他化裝離開北平後，旋任命為五十九軍軍長，以死明志，屢建奇功，晉升為卅三集團軍總司令。是役敵雖佔宜昌而外圍仍為我軍控制，無異為一孤城，其直入長江三峽，進犯重慶之迷夢，因傷亡過重而幻滅。後人對宜昌之戰有詩云：

秋天何皎潔，海宇看澄清，天際千萬影，江流萬鼙聲，
舳艫今夜下，壯士故都行，早報荊宜捷，收京待有成。

常德會戰

起訖時間：卅二年十一月上旬至十二月下旬
作戰地區：湖南常德附近

雙方參戰兵力：中國十六個軍（四十二個師）二十餘萬人，日軍六個師團約十二萬人。

作戰概要：

此次會戰歷時月餘，地面及空中戰鬥均甚激烈，敵以飛機及地面砲火並發射毒氣彈向常德猛轟，我五十七師經十晝夜之戰鬥，全師近萬人只剩三二一人，唯一的援軍是將陣亡將士的衣帽穿在稻草人上，嚇阻日軍使之不敢越雷池一步，常德一度失陷，後經我援軍反攻，再克該城，日軍傷亡三萬人，我軍傷亡四萬人，我陣亡師長許國璋，彭士量，孫明瑾等三位將領，其戰鬥之慘烈，經英國倫敦隨軍記者之報導，形容這場戰役是戰史上最光榮，最驚險的紀錄。

在此次常德會戰中，有中美空軍加入戰鬥，使日軍蒙受慘重之損失，並在空戰中，擊落及擊毀日機達廿五架，以後制空權，就操之在我了。

衡陽保衛戰

國軍自撤出長沙後，就重新部署，確保衡陽，以夾擊深入之敵，日軍在進攻衡陽戰鬥中，其六十八師團長佐久和他的參謀長以及其第一線部隊長在我軍第十軍迫擊砲，手榴彈阻擊下，都受了重傷，第五十七旅團長陣亡，攻勢停滯，日軍不得不大力增援，調集空軍，重砲部隊，配備特種毒瓦斯隊，傾巢來犯，國軍第十軍冒日軍之空中轟炸，地面砲火及毒氣之攻擊，與日軍展開七次之肉博戰，悲壯慘烈，驚天地而泣鬼神，其作戰概要如下：

民國卅三年七月五日，日軍對衡陽外圍各據點展開攻擊，至七月二十日城外各據點相繼失守，此時日軍已有十萬之眾，城內我軍有四個師及配屬部隊，兵力約四萬餘人，七月廿二日拂曉，敵軍由東西路向衡陽猛撲，其步兵在城牆缺口湧入，展開激烈巷戰，手榴彈橫飛，肉搏慘烈，終于傍晚將日軍逐出，綜計七月廿二至八月五日日寇突入衡陽七次，由於國軍戰鬥意志堅強，雖然逐屋戰鬥，犧牲慘重，最後仍將敵軍逐出城外，僅手榴彈就用去四十餘萬枚，可見近戰之激烈，日軍在計窮之下，乃於八月六日至八日展開卑劣不合人道之毒氣攻擊，用飛機及火砲雙重施放，使得衡陽城內形成癱瘓，敵軍於八月八日佔領衡陽，第十軍方先覺軍長及部分官兵被游擊隊救出，衡陽爭奪戰於此結束。

歷時四十八天的衡陽保衛戰雖在毒氣攻擊下落幕，但孤懸城北的七一四高地，仍屹立無恙，使日軍在勝利中又有挫折感，乃于八月十日調集重砲，密集猛轟，又以飛機輪番轟炸，使得我守軍傷亡慘重，但我軍抵抗意志，十分堅強，八月十二日拂曉，敵軍發動總攻擊，陣地被突破數次，經近戰肉博後恢復，八月十三日陣地突然沉寂異常，日軍武木聯隊長派人查看後，大吃一驚，原來七一四高地戰存者，彈盡糧絕，大部集中在竹林內自戕而壯烈殉國。這群戰存官兵在自殺前，都在巨竹上刻下遺書或抗戰口號，被日軍取走，戰後這批竹簡曾在東京、臺北展出，造成轟動一時的大新聞，歷史學者稱之為「竹林書簡」。

廣州失陷

民國二十七年十月十二日位於澎湖之日軍第廿一軍轄三個師團，司令為古莊古郎中將，率大小登陸艇三百艘，飛機百餘架之掩護，於廣東大亞灣之澳頭港及其以東地區登陸，我第四戰區兵力薄弱，守備大亞灣之一五一師三個團長都在香港未回，故日軍一經登陸即陷要地直趨廣州，曾在虎門要塞發生激戰，虎門要塞在倉皇中陷敵，廣州於二十七年十月廿一日失陷，時在武漢棄守之前四天。

當廣州情勢緊急時，當時青年男女自動報名參加廣州保衛戰者，一日之間達四萬餘人，惜廣州當局未能適切運用，日軍進入廣州後，沿街搶掠貨物，大新、西施各大百貨公司被洗劫一空，每日四出劫掠、強暴婦女、沿途拉伕，奴役壯丁，送到廣州皆遭屠殺，淡水日軍擄獲婦女六百餘人每日輪姦，稍不遂意，即遭槍殺，市區放火達四十餘處，人民財產損失，無法估計，為廣州有史以來，最大浩劫。

崑崙關大捷

日軍在湘北遭到國軍堅強抵抗，受到第一次長沙大捷挫敗之後，乃採大迂迴戰略，向西南後方進犯，企圖截斷我西南國際通路，遂由日軍第五師團、第九旅團及調自臺灣之混成團，於二十八年十二月四日分別攻佔廣西南寧及以北的崑崙關。

我軍於二十八年十二月十六日開始反攻，我空軍亦參加戰鬥，十八日克復崑崙關，旋敵反撲，崑崙關及九塘又陷敵手，十二月二十八日國軍第五軍集中優勢兵力，展開攻擊，下轄戴安瀾的二百師，鄭洞國的榮譽師，及邱清泉的新廿二師，自晨自暮，冒日軍毒氣與猛烈砲火的攻擊，反覆衝鋒肉博，勇往直前，前仆後繼，殺聲震天，鮮血染遍了山坡高地，激戰四晝夜，將崑崙四面包圍，卒於十二月卅一日又克復了崑崙關，國軍勇敢善戰，壯烈犧牲精神可歌可泣。

崑崙關之役，為我抗戰二年來首次轉守為攻，且為攻堅戰成功立下示範，對民心士氣之影響甚大，是役我軍殲日第五師團一個旅團，第五師團潰不成軍，旅團長中村正雄被擊斃，生俘聯隊長杉木吉及板田元等以下八千餘人，第五軍擄獲戰利品計輕重機槍一三九挺，野砲五門，山砲五門，無線電機數十架，步槍千餘枝，砲彈二千餘發，步槍彈廿餘萬發，騾馬四十四匹，崑崙大捷舉國歡騰，在這裡建立一座第五軍抗日陣亡將士紀念碑。千年前宋狄青大破蠻兵於崑崙關，引起邱清泉將軍之詩興，吟書五律一首：

歲暮克崑崙，旌旗凍不翻，
雲開交趾地，氣奪大和魂，
烽火連山樹，刀光照彈痕，
但憑鐵和血，胡虜安作論。

桂柳反攻作戰規復廣州，展開總反攻之前奏

民國三十四年四月敵軍發動湘西會戰，分數路進犯，經我軍迭予重創後，始悟其戰力業已衰竭，自知無法再控制廣大地區，爰企圖縮短戰線，謀求集中兵力，以防我軍反攻。

我最高統帥部鑒於湘西會戰中，我軍士氣高昂，每戰皆捷，而敵軍則成強弩之末，戰志消沉，此種彼消我長之現象，實為我總反攻之表徵，於是決定進軍廣西迅速收復桂柳，反攻廣州以拓展總反攻之機運，六月廿九日我四十六軍攻克柳州，敵軍分途向桂林潰退。

我軍克復柳州後，分三路向桂林攻擊前進，以第七十一軍之九十一師在右，沿柳州公路右側，以第二十九軍居中，沿桂柳鐵路，以第二十軍之一三三師在左，由融縣向桂

林併進，同時更以第四方面軍攻擊寶慶，衡陽策應桂林方面我軍之作戰，七月廿八日我軍克復桂林，敵狼狽逃竄，我軍斬獲頗多，此一初步之反攻，一舉進展七百餘里，收復失地五萬二千餘平方公里，給予敵人以殲滅性打擊。

我軍克服桂林後，即依反攻廣州計畫，積極部署，迄八月初旬，第二方面軍張發奎所部已推進至梧州以西地區，第三方面軍湯恩伯所部則沿賀連公路前進，全般士氣大振，均有滅此朝食之慨，旋敵於三十四年八月十五日，正式宣佈無條件投降，反攻廣州之軍事行動乃告停止，否則我軍必能依照原訂計畫，將敵徹底摧毀，展開總反攻之前奏。

八、太平洋戰爭展開第二次世界大戰

太平洋上不太平，民國三十年（一九四一年）十二月八日晨，日軍倫襲珍珠港，美國海軍受創慘重，有五艘戰艦沉沒，三艘被毀，素有不沉見稱的亞利桑那（Arizona）亦因日軍奇襲而下沉，最大戰艦加利福尼亞則受創半下沉，陣亡人數二千四百零三人，被毀飛機三百架，次日美國對日宣戰，三天後對德義宣戰，我中華民國國民政府，即於民國三十年十二月九日明令對日宣戰，從此展開第二次大戰的序幕，我國單獨對日血戰五年後總算得道多助有了伙伴，繼續抗戰到底。

中國名列四強——民國卅一年元月華盛頓發表有廿六國簽署之「聯合共同宣言」，由美、英、蘇、中四個強國領銜簽署，其餘廿二國，則按國名字母排列。

蔣委員長榮任聯軍在中國戰區之最高統帥，一月四日盟國推舉蔣委員長二十六國聯軍在中國戰區包括越南及泰國之最高統帥，成立中國戰區統帥部，為同盟軍在東亞大陸上之最高戰略執行機構，以史迪威為參謀長，飛虎隊改為美軍十四航空隊。

取消不平等條約——民國卅一年國慶前夕十月九日，美、英、蘇等國將廢除不平等條約文書，送達重慶。

九、遠征印緬揚威異域

遠征軍初期入緬之戰

在珍珠港事變未發生前，英國竟應允日寇要求，封鎖緬甸公路，斷我對外交通，直到珍珠港事變發生，始解除封鎖，但已被日寇佔據仰光出海口，擄去我國向美購買數十架最新型飛機，用來空襲昆明。

民國三十年冬，日軍攻佔泰、越時，我國已向英國表示，可派八個師兵力，協防緬甸而為英國所拒，僅先頭部隊進入臘戍。迨是年二月下旬，日軍以泰越為基地，先後攻佔馬來西亞，新加坡，以其所轄之第五十五師團、第十八師團，第卅三師團，第五十六師團，計有十餘萬人，集納於緬甸泰北地區分三路向緬甸進犯，此時英國始要求急速救援，但為時已晚，幸我遠征軍早已編成，以羅卓英為司令官，有杜聿明，甘麗初孫立人、廖耀湘、戴安瀾諸名將，先有我戴安瀾之二百師預備隊救出於棠吉被日軍圍困之英軍。又於民國卅一年（一九四二）四月十六日，敵陷仁安羌，將英軍第一師及戰車營包圍於仁安羌以北地區，情勢非常危急，我以防守曼德勒之新編三十八師之一部，千餘人之兵力，由師長孫立人率領馳援英軍，在仁安羌附近鏖戰兩晝夜，擊潰日軍三十三師團，遺屍一千三百具，收復仁安羌，救出英軍七千人，及被俘之英軍、美國傳教士，新聞記者五百人，戰車及輜重車百餘輛，馱馬千餘匹，美、英紛電致謝，創下以一敗十的奇襲戰果，開清朝中葉以來，國軍揚威異域之新紀錄。

是役孫立人將軍以兩營步兵為主力，命劉放吾團長率領奇襲敵之側背，另以一營步兵由張琦營長率領，請來英國戰車作正面攻擊，所向披靡，勇不可當，孫將軍對英軍史林姆軍長說：「中國軍隊戰到最後一人，也一定把貴軍救出」之豪語。

蔣委員長有鑒於緬甸英軍雖有優良裝備，仍不足以抵抗日軍之進攻，陷國軍於不利，乃令史迪威迅調國軍北上，集結於密支那及八莫地區，史仍在緬中地區徘徊不定，且無對日作戰經驗，既不受命，又拒絕部隊長之建議，目見英軍敗績，無所適從，不顧國軍之奮力血戰，獨自逃往印度。

我軍初期入緬作戰，以第五軍二百師戴安瀾部為先頭部隊，在交通工具缺乏之下，兼程趕進，官兵個個英姿颯爽士氣旺盛，於卅一年（一九四二）三月七日到達東瓜（亦譯作同古）

東瓜位於從仰光到曼德勒之要衝，為阻止日軍北進之屏障，戴師長派軍部配屬的摩托騎兵團及步兵一個連到東瓜以南皮龍河畔接替英軍防務，並掩護其撤退，預先埋設皮龍大橋下之爆破器材，將日軍先遣部隊全部撤滅，使日軍遭受到其長驅直入緬境以來第一次重大損失。

三月廿五日敵軍迫近東瓜，與我軍發生激烈戰鬥，敵除以飛機狂炸，戰車縱横掃射外，更使用毒氣，血戰四晝夜，敵我傷亡均重，至廿九日我軍已達遲滯敵人前進之目的，乃向北轉進。

四月一日敵由東瓜以其第卅三師團竄至彥南羌，該地有一部盟軍被包圍，我軍本協同作戰之精神，即以一部馳援，激戰兩晝夜，擊退頑敵又救出英軍數千人，英軍都翹起大姆指說：「頂好，頂好，你們打得好。」

五月廿二日我第二百師通過細胞至摩哥克公路向緬北轉進時，遭敵狙擊（有緬奸帶路），發生激戰，師長戴安瀾負傷，旋即殉職，第二百師與九十六師先後經騰衝，維西向怒江東岸轉進，其他廿二師、卅八師部隊乃輾轉經清加林太洛、新平洋，向印度阿薩密省之雷多前進，經過原始森林之野人山，千里無人煙，森林密佈，人跡不至，與毒蛇猛獸、蚊蟲旱蛭博鬥，絕糧斷炊，疾病饑餓而死者成為沿途白骨，翻嶺越溝落伍而死者數千人，於八月三日始達雷多，邱吉爾聞數千人死於道途竟稱「毫不足惜」，其在五月一日發表演說，對美、蘇加以稱道，但無一字提及我軍入緬解救英軍之事實，其心可誅。

此次國軍初期入緬之戰，英軍對聯合作戰，無具體協定，當敵陷仰光時，英軍主力即移往公路以西地區，整個正面僅留給我軍倉促應戰，無集結之餘裕時間以發揮全力，致陷於被動，雖我官兵勇敢善戰，但在敵砲、空、戰車毒氣攻擊下，仍難挽危局，然我軍向野人山轉進，越荒渡險，誓死不屈，糧補不繼，倍極艱辛，亦足表現我中國軍人冒險犯難之偉大人格，迨至民國卅二年發起緬北滇西之反攻，始見國軍之神勇，贏得全面大捷。

緬北滇西之反攻

民國卅一年日軍進攻緬甸，我遠征軍入緬協助英軍作戰後，退入印度，在藍姆伽整補裝備，積極訓練，兵員由國內空運補充，為求美援物資之陸上運輸便捷，決定築一工程浩大之雷多公路。遂作戰而進展，民國卅三年八月我駐印度遠征軍於攻克密支那後，先期作戰告一段落，各部隊積極整補，並將新卅八師、新卅師、新五十師合編新一軍，以新卅八師師長孫立人為軍長，新廿二師、新十四師合編為新六軍，以新廿二師師長廖耀湘為軍長，十月二十日史迪威奉召返美，遺缺由索爾頓將軍繼任遠征軍司令，我統帥部亦派鄭洞國為副司令。此時新編遠征軍已全部經美國裝備與訓練，空軍與砲兵對敵而言已是絕對優勢，國內戰場恰正相反，尤以盟軍之空軍完全掌握制空權，部隊糧彈補給大半為空投，故遠征軍後期作戰，未曾受山岳叢林、水淹公路之影響。

我國駐印遠征軍向緬北日軍攻擊，我滇西遠征軍則由滇西出動攻入緬境，在芒友會師。芒友會師是抗日戰爭中一件大事，會師升旗由何應欽上將親往主持，從此自印度雷多經密支那、八莫至芒友入滇至保山而達昆明，全長一千五百六十六公里之公路已完全貫通。這一條中印公路中間越過十三座六千六百公尺以上的高峯，甚多陡坡，急彎最高處在海拔九千二百公尺，由雷多經胡康、孟拱兩河谷至密支那一段，長四百四十五公里，所過之處為無人煙之原始森林，國軍工兵第十團，緊隨戰鬥部隊之後，一經肅清殘敵，即將推土機、碎石機、挖土機、壓路機向蠻荒前進，配合數萬民工，遂行軍工築路，克復莽莽林海高山險坡急彎，終於完成最艱險的任務，另外與此路同時進行的中印油管敷設，亦同時完成。

此次遠征歷時二年半，進軍二千四百餘公里，先後收復緬北大小城鎮五十餘處，殲滅日軍四萬八千餘人，俘敵六四七人，擄獲步槍一一六四四枝，輕重機槍六〇一挺，砲一六〇門，戰車十二輛，飛機三架，汽車六〇六輛騾馬一四三〇匹，我軍陣亡官兵三萬一千人負傷三萬五千人。陣亡師長齊學啟、戴安瀾、胡義賓等三位將領及化學兵中將總隊長李忍濤一人，李將軍與孫立人同為清華畢業留學美、德之傑出將領，於卅二年奉命赴印校閱部隊，並與史迪威有所協調，返航被日機擊落殉國，時人敬輓：

丹心鑄軍魂，學貫中西衛中華，

碧血洒藍天，氣壯山河撼扶桑。

知識青年從軍報國

在此一時期——民國卅三年八月廿七日，蔣主席發出「一寸山河一寸血，十萬青年十萬軍」之知識青年從軍報國偉大號召，藉以提高國軍素質，為抗戰建國之基幹，此一號召發出後，全國風動，各學校如燕大、華大、復旦、南開、中大、川大、暨東北大學等校學生，爭先響應，部分更以血書簽名，誓為先鋒，各機關，各部隊首長之子弟，亦爭相報名參加，預定目標十萬，後經編練總監羅卓英報告，經甄選合格者已逾十二萬五千五百人，於十二月初陸續入營，分編為青年遠征軍二〇一到二〇九共九個師。暨獨立旅、團等。

十、日軍殘暴另一章——使用生化武器及三光作戰

日軍侵華使用生化武器，較南京大屠殺更為殘暴，曾發動過一千三百多次毒氣攻擊。和大規模以活人解剖所發展之生物戰（含細菌戰）。日本的化學戰劑（俗稱毒氣）製造廠位於日本瀨戶內海大久野島的忠海兵器製造廠，生產下列化學戰劑，用於中國戰場：

糜爛性的芥氣 HD 路易氏氣 HN 窒息性的光氣 CG 氯化苦 PS 嘔吐、噴嚏性的亞當氏氣 DM 二苯氯砷 DA 血液中毒性的氛化氫 AC 氯化氨 CK 催淚性的苯氯乙酮 CN 氰溴甲苯 BBC 煙幕和縱火劑等。

在戰爭中使用生物武器，受害者不僅是戰鬥部隊而且波及無武裝的平民，國際間認定是不人道的武器，遂有禁用毒氣的海牙公約，到一九二五年又有禁用化學和細菌戰劑議定書，日本則反其道而行，在上述各戰役中，凡日軍每遇戰鬥失利或攻擊頓挫時，都曾使用毒氣以求扭轉其頹勢。日軍當年遺留化武，迄今遍布大陸十餘省市，有毒劑百餘噸，化學彈約兩百萬發以上。在一九五〇年代初黑龍江某縣施工時，挖出兩百桶液狀芥子氣路易氏氣的混合毒劑，貧苦的農民誤認為日軍遺棄是食用油，使用來做飯點燈，結

果有數百人中毒而死亡。

日本有個石井四郎軍醫中將，他不去給人看病，首創解剖活人，培養細菌毒素專門用於戰爭的罪魁禍首，他設於中國東北哈爾濱之七三一部隊，是日本從事生物細菌戰實驗的大本營。設於長春一〇〇部隊是細菌製造廠，此外設於南京的有多磨分隊，在廣州設立波字第八六〇四號細菌站。在中國製造使用的生物戰劑計有炭疽熱、鼠疫、傷寒、霍亂、牛瘟、羊痘和斑駁等其使用方法除用飛機噴灑、噴霧器、獸蟲傳播，陰謀預置以外，並特製了一種陶瓷「宇治式」細菌爆彈，盛裝鼠疫桿菌跳蚤，日軍在華南戰場——江西、浙江、福建、廣西、廣東、滇西、貴州等廣大地區廣泛使用細菌在梁河撒灑鼠疫，不數日我軍民感染疾病死亡高達一萬四千人。

語云：「天道循環，善惡無所遁形，善有善報，惡有惡報。」一八十四年三月廿日日本東京地鐵發生神經毒氣沙林 SARIN 事件，立刻有十二人死亡，千百人送醫，這不是日軍侵華使用一千三百多次毒氣戰的報應嗎？南京大屠殺一次三十六萬，日本廣島、長崎就招來了兩顆原子彈。

三光作戰：一九三九至一九四三年，日軍華北方面軍司令官多田駿，在我華北地區實施「燒光、殺光、搶光」之三光作戰，對於非武裝的平民，執行燒光、殺光的「燼滅作戰」。根據中央研究院近代史研究所李恩涵博士研究，據不完整的統計，「三光作戰」

中殺害了中國人有三百十八萬人。

十一、抗戰勝利日本投降

民國卅四年（一九四五）夏，日軍在中美兩面夾擊下，已呈土崩瓦解之勢，七月廿六日我國蔣委員長、美國總統杜魯門、英國首相邱吉爾，在波茨坦發表聲明，對日本提出最後通牒，促其宣佈無條件投降，否則吾人將運用三國巨大之陸海空軍全部軍力，使日本武力及其本土完全毀滅。

八月十五日，同盟國經由瑞士政府之通知，日本天皇已頒敕令，接受波茨坦宣言，宣告投降，遂同時公佈日本無條件投降。民國卅四年八月十五日上午十時，蔣主席在重慶中央廣播電臺，發表告全國軍民及世界人士書，略謂「此次戰爭，發揚了人類互諒、互敬的精神，建立了我們互信互任的關係：……我們中國同胞須知『不念舊惡』及『與人為善』，為我民族傳統至高至貴的德性，我們一貫聲言，祇認日本黷武的軍閥為敵，不以日本人民為敵……」，由於「不念舊」、「與人為善儒家仁義文化，後人稱之為「以德報怨」」的宣言，亦為爾後處理受降之基本理念，在蔣主席廣播後二小時，日皇對日本全國廣播投降書。

臺灣澎湖受降長官陳儀，日軍投降部隊長為第十方面軍司令安藤利吉。

民國三十四年九月三日，國防部長何應欽上將在首都南京受降，呈遞降書者為駐華派遣軍司令岡村寧次大將。

十二、結　論

七七全面抗戰為一八九四年（光緒廿年）甲午戰後日本侵華血債之總結算，其間日本於民國十七年發動濟南事件，造成五三慘案，民國廿年發動九一八事變強佔我東北。民國廿年在上海復啟一二八戰端。民國廿六年七七盧構橋事變，使中國之命運面臨存亡絕續之最後關頭，我們被迫不得不奮起作長期浴血抗戰，我國第一次征發兵員一千八百萬人，續有十萬青年一寸山河一寸血之號召，全國愛國志士，知識青年均一致奮起，投入此一捍衛國家抵抗侵略之聖戰，對日戰爭凡三萬八千九百三十一次（如附表）主戰役一千一百一十七次，大會戰二十二次，傷亡官兵及死難同胞三千五百萬人（最新統計）日軍暴行，僅南京大屠殺一次即逾三十六萬人，江水盡赤，草木含悲，較此更加殘暴者，那就是亙抗戰全期，使用不人道的化學戰劑一千三百次，並將被俘人質作活體解剖實驗，在發展細菌戰，使一村、一鄉的人民全部感染病亡，在人類文明史上留下最慘痛、最黑暗、最醜惡、最卑劣、最可恥罪大惡極的血腥紀錄。

隨著日軍鐵蹄蹂躪我中華錦繡大地，在長達數千餘公里的戰線中，沒有一村、一鄉、一鎮、一城能免於殘破，所有廬舍化成廢墟，成千上萬的人民流離失所，財產損失折合美金三千億以上，中國近百年國運坎坷，中國人民備受苦難，誰為為之？孰令致之？歸根究柢是從甲午之戰到七七抗戰由日本一手所造成。正是：

莽莽神州嘆陸沉，禍源起自日寇侵，
碧血沱沱染黃沙，白骨累累暴瓦礫。

我中華民國政府領導全國同胞八年浴血抗戰，乃是驚天地而泣鬼神的民族自衛戰爭，不僅挽救了中國危亡，從虎狼口中奪回了臺灣澎湖和東北，且協同盟國作戰，克敵制勝，例如自珍珠港事件後，日軍在太平洋上叱咤風雲，登陸略地，斬關越境，傲視盟軍，使盟軍士氣為之沮喪。時在民國卅一年一月十五日，正當日軍攻佔馬尼拉，登陸吉隆坡進軍婆羅州進那港，氣焰萬丈之時，而我國軍在長沙第三次會戰大捷，痛殲日軍，全球驚欣，對懊喪的盟軍士氣，產生極大的振奮作用。

我遠征軍入緬作戰以寡擊眾，於緬甸仁安羌救出被圍困之英軍七千人，及美國傳教士、新聞記者五百人，立功異域為國爭光，一九九二年仁安羌大捷五十週年紀念，有英國前首相金契爾夫人，英國國防大臣芮夫金，美國前總統布希，加州州長威爾森，向僑居芝加哥當年於仁安羌戰役任團長之劉放吾君，分別致函及拜訪，表示感激及祝賀。此一聖戰，顯示我炎黃子孫有強韌無比的生命力，由數千萬生靈鮮血所締造抗戰勝利之光榮史實，永遠炳耀於史冊，深受全世界認同與敬仰，豈可任意捏造而篡改？惟這一頁塵封的歷史，已逾半世紀，致有新生代缺乏真正之瞭解，易受混淆視聽，顛倒黑白之影響。

日本自從文部省篡改教科書起，就不斷地出現軍國主義的復活狂徒，處心積慮來掩飾日本在第二次大戰之瘋狂侵略罪行，顛倒黑白，自欺欺人，前者有日本法務大臣永野茂門口出狂言，說：「南京大屠殺是杜撰的，太平洋戰爭也不是侵略，」引起亞洲各國強烈抗議而辭職，繼之又有所謂日本保守政治團體——青年自由黨辯稱：「日本當年攻擊珍珠港是奇襲不是偷襲，南京大屠殺根本沒有這回事，『慰安婦』也是看在高收入的分上自動下海的。」他這一番胡言亂語真是令人髮指！日本侵略中國及亞洲，鐵證如山，豈容狡辯！

中共於廿六年八月廿三日接受中華民國國民政府收編，任命朱德為國民革命軍第八路軍總指揮，彭德懷為副總指揮，轄林彪之一一五師，賀龍之一二〇師，劉伯承之一二九師至十月十二日收編江南各地共軍成立新四軍，以葉挺為軍長，項英為副軍長，九月廿日發表共赴國難宣言，其原文如左：

一、孫中山先生的三民主義，為全中國今日所必需，本黨願為其實現而奮鬥。

二、取消一切推翻國民黨政權的暴動政策及赤化運動，停止以暴動的沒收地主土地政策。

三、取消現在的蘇維埃政府，實行民權政府，以期全國政權之統一。

四、取消紅軍名義及番號改編為國民革命軍，受國民政府軍事委員會之統轄，待命出動，擔任抗日前線工作。

人們對這篇的宣言都存著一種寧信其真不信其假的心理，寄以厚望。聽其言而觀其行，中共自八年抗戰，發展組織成長壯大是成功的。而中華民國政府領導全國軍民全力抗戰犧牲奮鬥詳如上述各戰役，是贏得抗戰勝利的成功，雙方都是贏家，歷史是一面鏡子不因權勢大小盛衰而失真，敬告中共今後與其說對日八年抗戰完全是中國共產黨打勝的，不如實話實說是中華民國政府領導全國軍民打勝的，中共只是其中一分子而已，如曾參加平型關會戰，「百團大戰」游擊戰等，尊重史實，不向新生代說謊，更能獲得兩岸人民的喜愛，正是：

八年浴血戰，炳耀在書簡，

太史董狐筆，以匡虛妄言。

抗日先烈　碧血千秋

車潤豐

八年抗戰的光榮歷史，是百萬忠勇將士用頭顱和鮮血寫出來的，他們為保衛祖國獻出了寶貴的生命，他們的精神鑄成了不可搖撼的中華國魂，尤其我高級將領，身先士卒，為國捐軀之壯烈事蹟，凛烈萬古，永垂丹青，爰簡介如下：

第三十三集團軍上將總司令張自忠，山東臨清人，一九四〇年五月十六日湖北棗宜會戰中，與敵血戰九晝夜，負傷不退，於襄河東岸南瓜店身中五彈，壯烈殉國，終年五十歲。

第三十六集團軍上將總司令李家鈺，四川蒲江人一九四四年五月廿一日豫中會戰，在河南陝縣秦家坡指揮督戰，頭部腹部多處中彈陣亡，終年五十三歲。

第九軍中將軍長郝夢齡，河北蒿城人，一九三七年十月十六日，晉北忻口會戰，率部對敵夜襲，在攻佔南懷高地時，遭敵機槍擊中腹部陣亡，終年四十歲。

第六十七軍中將軍長吳克仁，吉林雙城人，一九三七年十一月淞滬會戰，固守松江，曾數度赴第一線指揮衝鋒殺敵，十一月九日，上海撤退時，在青浦白鶴港中彈陣亡，終年四十四歲。

第四十二軍中將軍長馮安邦，山東無棣人，一九三八年十一月武漢會戰時，在湖北襄陽與敵作戰，於十一月三日，遭日機轟炸，重傷殉國，終年五十四歲。

第二十九軍中將軍長，陳安寶，浙江黃岩人，一九三九年六月六日南昌會戰，所部被日軍包圍，傷亡殆盡，他指揮僅餘之特務排向敵反擊，被敵彈擊穿腹部，壯烈犧牲，終年四十八歲。

東北抗日聯軍第一路軍總指揮兼政委揚靖守，原名馬尚德，河南確山人，一九四〇年一月，由於叛徒告密，所部遭日偽軍圍攻，分散突圍隻身與敵周旋，于二月廿三日，在吉林濛江縣三道崴子壯烈犧牲，終年三十五歲。

第三軍中將軍長唐淮源，雲南江川人，一九四一年五月十二日，晉南會戰期問，在中條山背水苦戰，所部傷亡慘重，彈盡援絕，在大雨滂沱中，遣去左右拔槍自戕，終年五十七歲。

第九十八軍中將軍長武士敏，河北懷安人，一九四一年九月廿九日，晉南會戰期間，於山西太岳山區，遭日軍包圍，在明家溝與敵肉博，因彈盡援絕，自戕殉國，終年四十九歲。

第七十九軍中將軍長王甲本，雲南平彝人，一九四四年夏，長衡會戰期間，率部千里馳援，與敵激戰多日，九月七日在湖南東安陷敵重圍，部屬傷亡殆盡，當日軍逼近時親持手槍斃殺日軍多人，旋為敵兵刺中腹部，仍開槍將敵軍擊倒，自身亦傷重殉國，終年四十三歲。

第二十九軍中將副軍長佟麟閣，河北高陽人，一九三七年七月廿四日，平津作戰，在南苑前線身陷重圍，腿部中彈後仍裹創指揮，不幸再受重傷，陣亡於南苑大紅門，終年四十六歲。

第二軍中將副軍長兼第九師師長鄭作民，湖南新田人，一九四〇年二月三日桂南會戰期間，在崑崙關陶石指揮部，與敵血戰，不幸中彈陣亡，終年三十八歲。

浙東臺州守備區中將指揮官蔣志英，浙江諸暨人，一九四一年四月十九日，日軍登陸海門，率部與敵展開白刃戰，胸部被敵刺穿，壯烈殉國，終年四十八歲。

桂林防守司令部中將參謀長陳繼桓，廣西人，一九四四年十一月桂柳會戰，敵以優勢兵力猛攻桂林，苦戰十四天後，敵攻入市區，身受重傷，自戕殉國，終年五十四歲。

東北游擊司令部中將司令唐聚五，吉林雙城人，一九三九年五月十八日，在河北平臺山與敵血戰兩晝夜，彈傷腰部，仍裹傷率部衝殺，在山南險峻懸崖處，中彈陣亡，終年四十八歲。

蘇魯區游擊第二路中將司令劉震東，山東沂水人，一九三八年二月廿三日，在山東莒縣與敵激戰，彈盡糧絕，與城俱亡，終年五十歲。

第一三二師中將師長趙登禹，山東荷澤人，一九三七年七月盧溝橋事變後，率部禦敵於南苑，浴血苦戰，親身率部衝鋒三次，全身中彈廿二處，壯烈殉國，終年四十二歲。

第五十四師少將師長劉家麒，湖北武昌人，一九三七年十月十六日山西忻口會戰，與敵激戰多日，在攻克南懷化高地時，被敵砲擊中，壯烈殉國，終年四十三歲。

第一五四師中將師長饒國華，四川資陽人，一九三七年十一月上海撤守後，所部在浙北泗安與敵激戰三晝夜，犧牲慘重，再率殘部拒敵於皖南廣德，敵以飛機大砲圍攻，勢孤力竭，於十一月卅日自戕殉國，終年四十四歲。

第一二二師中將師長王銘章，四川新都人，一九三八年三月固守山東滕縣，敵飛機及地面砲火向城內猛轟，房舍全毀，激戰三晝夜，於三月十七日下午身負重傷與城俱亡，終年四十七歲。

騎兵第六師少將師長劉桂五，熱河凌南人，一九三八年四月廿二日，在綏遠固陽與敵作戰，日軍以飛機坦克車配合猛攻，浴血苦戰，身負重傷，壯烈殉國，終年三十六歲。

第二十三師少將師長李必蕃，湖南嘉禾人，一九三八年五月在山東荷澤痛擊進犯之敵，敵不支，倉皇後撤，乃乘勝追擊，後敵援軍趕到反撲，腹部中彈血流如注，及至城南王莊，不及救治，壯烈犧牲，終年四十七歲。

第一一四師中將師長方叔洪，山東歷城人，一九三九年六月廿五日，魯南馮家場之役，身先士卒，中彈陣亡，終年四十二歲。

第一七三師中將師長鍾毅，廣西扶南人，一九四〇年五月九日棗宜會戰期間，掩護大部隊退卻，與敵苦戰甚久，傷亡過重，舉槍自戕，終年四十歲。

第廿七師少將師長王竣，陝西蒲城人，一九四一年五月晉南會戰期間在中條山與敵血戰兩晝夜，所部傷亡殆盡，堅持不退，五月九日在臺寨陣地中彈陣亡，終年四十歲。

第十二師少將師長寸性奇，雲南騰衝人，一九四一年五月十三日，晉南會戰期問，在中條山毛家灣與敵激戰，被敵包圍，所部傷亡殆盡，舉槍自戕，終年四十六歲。

第七十師少將師長石作衡，山西渾源人，一九四一年九月晉南會戰期間，在絳縣東北丁家凹，遭敵圍攻，率部血戰，九月六日突圍至絳縣濟東凹，再與敵之增援部隊展開慘烈之肉博戰，在敵機與熾烈之砲火猛轟下。不幸中彈陣亡，終年四十二歲。

暫編第三十師中將師長朱世勤，山東單縣人，一九四二年五月四日魯蘇游擊戰中，在單縣與敵巷戰，於肉搏中，遭敵刺中要害，壯烈殉國，終年四十歲。

第二百師少將師長戴安瀾，安徽無為人，一九四二年五月十八日，在緬甸緬摩公路與敵激戰兩晝夜，身負重傷，因山區醫藥缺乏，延至五月廿六日下午在緬甸毛邦村去世，終年三十八歲。

第八路軍副參謀長左權，湖南醴陵人，一九四二年五月，日軍在太行山區，實行「鐵壁合圍」時，在遼縣麻田附近，指揮部隊掩護八路軍總部轉移，於五月廿五日不幸中彈犧牲，終年三十七歲。

暫編第四十五師少將師長王鳳山，山西五臺人，一九四二年六月十八日，在山西萬泉與日軍激戰，率部逆襲時，中彈陣亡，終年三十八歲。

暫編第五師少將師長彭士量，湖南瀏陽人，一九四三年十一月十五日，常德會戰期間，在湖南石門與敵血戰中彈陣亡，終年三十八歲。

第一五〇師少將師長許國璋，四川成都人，一九四三年十一月廿一日，常德會戰期間，在魚甲坪石灰山西北，率部拒敵，浴血奮戰，連中數彈陣亡，終年四十六歲。

預備第十師少將師長孫明瑾，江蘇宿遷人，一九四三年冬常德會戰期間，在常德外圍與敵軍激戰四晝夜，於十二月一日身中數彈陣亡，終年三十九歲。

新編二七九師少將師長呂公良，浙江開化人，一九四四年五月一日，豫中會戰時，防守許昌，遭敵三路圍攻，率部浴血奮戰，不幸中彈陣亡，終年三十九歲。

第一三一師少將師長闞維雍，廣西柳州人，一九四四年十一月率部參加桂林保衛戰，桂林失守，所部傷亡殆盡，於十一月十一日自戕於七星岩，終年三十九歲。

魯豫戰區政治部中將主任周復，江西臨川人，一九四三年二月於山東安邱率部與敵激戰七日，斃傷日本軍五千餘人，在白刃戰中陣亡，終年四十三歲。

粵桂邊區總指揮部中將總指揮鄒洪，廣東五華人，一九四五年四月十六日在廣東陽山地區與敵激戰，中彈陣亡，終年四十九歲。

化學兵總隊長李忍濤將軍，追晉中將，雲南鶴慶人，一九四三年九月奉命赴印校閱部隊，並與史迪威有所協調，於同年十月廿八日乘機返國復命，航經喜馬拉雅山，座機失事，為國罹難，終年三十八歲，惟據日軍檔案記載：「一九四三年十月廿八日，在緬北上空擊落中國飛機一架，機上有中國化學兵司令官云。」

竹林書簡

衡陽保衛戰中一頁悲壯史實

潘長發

就在衡陽保衛戰即將揭開序幕之際，駐守在城北七一四高地的指揮官接獲方先覺將軍的手令：「該部務須固守現陣地，非經指示不得撤退。」王營長手捧著那張命令沉默了好一陣子後，隨即召開幹部會議，先宣讀方軍長的手令，繼即分析敵我情勢，最後宣佈了他的決心文：「本營奉命固守衡陽北郊七一四高地阻敵南犯以掩護主力之進出，各單位須加強工事構築……」

七一四高地在衡陽城北約十公里，地形險要，它可以控制兩座重要橋樑及一條公路幹線——長衡公路。王營長所屬加強步兵營就佈置在高地前緣及兩側。高地的鞍部有幾叢竹林，幾個隱蔽式的掩體設在竹林邊，指揮所設在觀測良好的鞍部前緣。全營兵力約八百人，重武器只有八一砲，六〇迫擊砲，重機槍等，另有一個山砲連。即將來犯的日軍先頭部隊屬佐久師團的一個步兵聯隊，兵力約三千餘人，配有戰車、野戰重砲等。相較之下，王營長的兵力、火力、裝備等均居劣勢。

民國卅三年六月二十日的清晨六時，七一四高地附近即遭日軍砲擊，半小時後公路上出現敵人戰車，但不久，數輛戰車掉入我軍預設之陷阱中，接著日軍步兵散開，向我七一四高地前進，王營長十分沉著，不到有效距離不准射擊。當敵軍到達我有效火網時即斷然實施彈幕射擊，使敵軍猝不及防而死傷枕籍，數小時後敵軍重新整頓再發動另一波攻勢，但又被守軍遏止，而且死傷更大。此時天色已晚，日軍不慣夜戰，除了零星砲擊，沒有戰鬥。我軍利用夜暗整修鐵絲網等障礙物，並加強工事，補充彈藥，後送傷患等，整夜忙碌未敢稍懈。

六月二十一日清晨五時，敵人砲轟加劇，六時，日軍步兵又展開攻勢，仍被我綿密的火網阻止，有部分散兵突入陣地但被射殺，這一波拂曉攻擊又被瓦解。下午二時敵軍再度強攻，企圖破壞我障礙物，直闖陣地，但遭我火網封鎖，始終未能得逞。

六月二十二日戰況沉寂，只有零星砲聲。

六月二十三日敵軍主力到達，但未停留即沿長衡公路直逼衡陽，七一四高地被敵軍包圍，雙方形成對峙。

六月二十四日敵軍對衡陽展開全面砲擊，除了野戰重砲之外，湘江內尚有日本海軍砲艦加入，駐守衡陽的國軍，只有三個砲兵營，火力不足，還擊力量薄弱。

六月二十五日至月底，敵人繼續由公路、鐵路、湘江等三條路線向衡陽增兵，並將重兵分置於西、東、北三個城郊，除了加緊砲擊空襲之外，並切斷衡陽對外之交通、通訊與補給線，使衡陽變成孤城。相同的，北郊七一四高地對外交通與補給，月底前即被切斷而形成孤島。

七月五日開始，日軍對衡陽城外各據點、各堡展開攻擊，至七月二十日城外各據點相繼失守。此時衡陽外圍敵軍兵力已有十二萬以上，城內國軍有四個師及配屬部隊，兵力約四萬餘。七月廿二日拂曉，敵人由東西兩路向衡陽猛撲，步兵在城牆缺口處湧入，激烈巷戰展開，手榴彈橫飛，肉博慘烈！終於在傍晚將日軍逐出城外。總計七月廿二日至八月五日，日寇突入衡陽城七次，由於守軍意志堅強，雖然逐屋戰鬥犧牲重大，最後仍將敵軍逐出城外，僅手榴彈即用掉四十餘萬枚，可見近戰之慘烈！而日軍攻衡陽志在必得，他們在計窮之下，乃於八月六日至八日清晨，展開卑劣的毒氣攻勢，用飛機、大砲雙重施放，使得衡陽城內形成癱瘓，敵軍乃於八月八日傍晚佔領衡陽城，方先覺將軍及部分官兵被游擊隊救出，衡陽爭奪戰於此結束。

歷時四十八天的衡陽保衛戰雖在毒氣攻擊下落幕，但孤懸城北的七一四高地仍然屹立無恙，使得日軍在勝利中又有挫折感，乃於八月十日調來重砲，密集地猛轟，又以飛機輪番疲勞轟炸，使得守軍傷亡重大，但他們抵抗的意志十分堅強。八月十二日拂曉，敵軍發動總攻擊，陣地被突破數次，經近戰肉博恢復。八月十三日，陣地突然沉寂異常，日軍武木聯隊長即派人查看後大吃一驚！原來七一四高地的戰存者彈盡糧絕，大部集中竹林附近自戕而壯烈殉國！巨大的竹幹上有鮮血、有刻字，自殺者面容安詳。當武木聯隊長親臨查看時，也被這種情境怔住了！武木的父親是位漢學家，故而幼時讀過一些中國古典文學，但未料到中國軍人的愛國情操竟然如此崇高，視死如歸的精神足可驚天地動鬼神！日本的武士道怎可與之比美？

武木聯隊長起初感到震憾！沉默許久之後乃決定：一、好好安葬這群烈士遺體，並予立碑。二、將所有刻字的巨竹鋸下，並將刻字的一段竹子截下，整理裝箱運回日本作研究之用。士兵們受命分頭工作，遺體清點共一百卌二具。刻字的巨竹經鋸截後共有八十五枚，字跡清楚者約四十枚，其餘的語意不完整，刻的不清楚。武木聯隊長把十幾枚較特殊者挑出修整，這些竹面上刻寫著：

孔曰成仁，孟曰取義，與其義盡，所以仁至……

中國不會亡！中國不會亡！

永別了，父母親！孩兒不孝！兒子吳〇〇絕筆

中國人是殺不完的！

日本軍閥：你們真狠！但絕不會長久。
我死則國生！大丈夫死而何懼？
奮起吧中國人！中國人要團結！
東方的睡獅醒了，等著瞧吧日本鬼子！
最後勝利一定是我們的！
國家至上！民族至上！
親愛的父母：來世再報恩吧！孩兒王〇〇絕筆
中華民國萬歲！
日本鬼子終將自食惡果！
中國人寧死也不會屈服！

武木聯隊長對於七一四高地的佔領，似乎並不高興，他反覆研究那一堆竹簡上的刻字，他有些困惑？又有些領悟！最後決定自己先退出這場不義的戰爭而託病調回本土。他帶著兩大箱竹簡暨一副沉重的心情，回到了東京，不久，他藉故離開軍職，恢復平民身分後，武木繼承父志，繼續研究漢學。民國卅四年日本戰敗投降，這都在武木的意料之中。戰後，武木經常在各大報撰文，指責侵華戰爭是一項絕大錯誤！他說：「日本人不可憑藉軍事優勢妄想去征服亞洲各國，尤以中日兩國應相互推誠合作，共創東亞之和平繁榮，今後千萬不可再啟戰端……」

二十年後，民國五十三年八月十五日，武木先生又帶著兩大箱竹簡來到臺北，由中央日報安排在中山堂展覽。海報上寫著：「二次大戰震撼中國戰場的一項悲壯史實。」在當時，這項展覽會造成很大的轟動！連續一週人潮不衰。如今又過去三十一年了，當年參觀書簡展的市民們，你們還記得嗎？

有人說過：「人類是最健忘的動物。」譬如：「七七抗戰」、「南京大屠殺」、「霧社慘案」、「台南噍吧哖慘案」等等歷史事件，究竟還有多少人在關心這些歷史傷痛？歷史不能重演，歷史的教訓必須記取，不可或忘。

孟子說：「無敵國外患者，國恆亡！」當我們今天正過著安和樂利的生活，可別忘了五十年前為了捍衛國家熱愛鄉土而拋頭顱灑熱血的先烈先賢們！

最後，謹向保衛衡陽的國軍第十軍、預十師、配屬第五十四師的袍澤們致上最崇高的敬意。

日落塞班島

——太平洋戰爭最關鍵的一役與台籍日本兵的悲歌

潘長發

夕陽染紅了塞班島北端的馬皮角，也染紅了北端的斷魂崖；任思漢夫婦就坐在崖頂上面，面對西方的落日，任思漢凝視著老伴，一語不發，但臉上表情，有些怪異，而且不時有變化：

任妻問：你到底在想些什麼？怎麼表情多變，有些怪怪的，教人猜不透？

任思漢回答：唉！我此時可是百感交集啊！記得六十年前的今天，我們台籍日本兵，被逼在此處跳崖，如有不從者，就以機關槍點名，大家無奈，排隊走上崖頂，一排排向下跳，有的觸及斷崖的峭壁，頭破血流而亡，有的落到地面，也是粉身碎骨不忍卒睹；我自己用力過猛，跳進海水中，正巧抓住一塊木板。被大浪推向外海，本能的求生意志，我緊抱木板不放，隨海浪漂流，直到次日清晨才被美軍艦艇救起，那時候，我全身沒力氣，奄奄一息，送到艦上，經醫治調養才慢慢恢復。

任妻問：日本軍隊不是英勇善戰嗎？怎會落得集體自殺的下場呢？

任思漢說：說來話長，非三言兩語就能說清楚的，你能耐得住，我就從頭說起，如何？

任妻：當然，我洗耳恭聽。

任思漢：起初，我只是一個被征用的台籍二等兵，年紀小、階級最低，凡事只有聽從指揮，沒有發言權，更無發問權，一切聽命令，外間的消息完全不知道，直到改任通信兵之後，才偶然聽到一些奇奇怪怪的事或是驚人的消息。

在塞班島跳崖獲救，後來被送到夏威夷戰俘營，在一年多的戰俘生活，倒是溫飽安定，比天天打仗的日子好過多了。經常看些紀錄片，或有美軍的新聞官來報告時事，使我的視野擴大許多，再把許多已知的事拼湊起來，以下便是我的概述：

日本自一九四一年十二月七日偷襲珍珠港開始，就發動了太平洋戰爭，在以後的數月時間裏，便佔領關島、香港、北索羅門群島、馬來半島、新加坡、菲律賓、緬甸等地，把西太平洋變成日本內海，掠奪大量財富和自然資源，如豐富的石油、橡膠等，轉變成日本的戰略資源。

日本食髓知味，為了想控制中西太平洋，便在一九四二年策畫奪取中途島，如能成功，便能掌握中太平洋戰略要點與交通樞紐；殊未料人算不如天算，美軍在五月中旬破譯日本海軍密電，掌握了日軍進攻中途島的企圖，美海軍尼米茲上將即著手策畫，積極布署迎戰日軍。

日本的聯合艦隊，仍由山本五十六統一指揮，五月廿六日由日本本土啟航，預定於六月四日發起總攻擊；山本編了五組編隊，有四組航空母艦作戰群：赤城號、加賀號、飛龍號、蒼龍號。艦載機二六六架，另有巡洋艦十艘，戰列艦九艘，輕航母四艘，地面部隊六千人，陣容浩大史所罕見，浩浩盪盪向中途島進發。

美軍方面，由於兩週前破譯了日軍進攻中途島的企圖，故而好整以暇，預作週密布署，尼米茲海軍上將組成兩組混合艦隊，包括三個航母戰鬥群，巡洋艦八艘，驅逐艦十四艘，艦載機二三〇多架，各式戰鬥支援艦四十多艘。中途島的防衛部隊與空軍尚未列入。

六月四日凌晨，日本的攻擊機群，由四艘航空母艦上起飛，對中途島展開猛攻，駐紮中途島的美軍戰機也全部升空迎戰，經過兩天的海上大戰，日軍的四艘航母全部被摧毀沉沒，其戰況如下：

日軍戰損：四艘航空母艦，一艘巡洋艦，飛機三三〇架，飛行員數百名，艦艇兵數千名。

美軍戰損：一艘航空母艦，一艘驅逐艦，飛機一四七架，中途島之戰，大大削弱日軍在太平洋地區的實力，日軍僅剩下大型航母二艘，輕型航母四艘，從此日軍在太平洋地區喪失戰略主動，軍力走向下坡。

講述完了中途島大戰，任思漢噓了一下口水，對著老伴說：「後面我該談談更激烈的塞班島大戰！」

任思漢說：「塞班島是馬里亞納群島的第二大島，長約廿一公里，寬四至八公里不等，面積約一八四平方公里，地勢中央高四週低、島上有山峰、丘陵、岩洞，制高點是中央四五〇米的塔波喬峰，北面有天然良港，南面為平坦海灘，守島日軍為卅一集團軍（司令小煨英良中將）所轄有四三師團，四七混成旅等。海軍有中太平洋艦隊，司令為南雲忠一海軍中將，所轄有五五海軍警備隊，第一特別陸戰隊等共約4.3萬餘人，有五五艘艦艇和六三〇架飛機。」

「美軍登陸部隊為第二陸戰師：第四陸戰師和二七步兵師，共約6.7萬人，由北部突擊艦隊，（司令特納海軍中將）的四七〇餘艘艦艇和近兩千架飛機作支援及掩護。

塞班島戰役開始於一九四四年六月十一日，結束於七月九日。

美軍的北部登陸編隊於六月十五日凌晨到達塞班島海域，開始換乘，八個營編成的第一登陸波分乘六百輛履帶登陸車和兩棲坦克開始突擊上陸，登陸地點在西南部查蘭卡諾灘頭。到傍晚後已有兩萬人上岸，但日軍砲火猛烈，第一天就有二千人傷亡；入夜後日軍以三六輛坦克掩護一千多名步兵發起衝鋒反擊，在艦砲密集猛烈射擊下，日軍被擊斃七百多名，其餘潰退。

六月十六、十七兩天，日軍利用夜暗，實施多次突襲但皆被美軍擊退。

六月十九、廿日兩天，美、日海軍在馬里亞納以西海域激戰，最後日本海軍慘敗，島上守軍完全陷於孤立；廿六日美軍攻佔該島中部制高點塔波喬山，此時日軍敗象已經顯露無疑。

六月卅日，塞班島守軍日本第四十三師團長齋藤在美軍強大壓力下，率部退至塔納帕格村的最後抵抗線負隅頑抗；七月三日陸戰二師經過慘烈的戰鬥，佔領加特潘角；七月四日廿七師攻佔了福勞里斯水上飛機基地，將殘餘日軍壓縮至東北角狹小地域。

七月六日齋藤和南雲向東京大本營發出最後的訣別電，然後將島上殘餘的五千名官兵集中起來，部署了最後的決死攻擊。當晚齋藤與南雲相繼剖腹自殺。

七月七日凌晨四時，五千多日軍突然發起攻擊，軍官揮舞著武士刀，帶頭衝鋒，士兵們有的端槍，有的拿刺刀和棍棒，甚至綁著繃帶，拄著拐杖的傷兵也一枴一枴地衝上來，日軍從廿七師兩個營空隙突入美軍戰線，美軍一〇五團一個營在日軍的瘋狂衝鋒下潰散，該團另兩個營則遭到了己方炮火的誤擊，損失慘重，戰鬥持續了數小時，美軍將後方勤雜人員立即編入戰鬥部隊投入戰鬥，終將日軍的自殺衝鋒粉碎，美軍陣亡四百人，日軍在陣地前遺下屍體四千三百具，日軍有組織的抵抗至此結束。

七月九日，美軍推進到了塞班島最北端的馬皮角，基本上已佔領全島。但令人無法想像的是：在馬皮角的懸崖邊發生駭人的大規模自殺，不僅日軍士兵有的跳崖，有的拉響手榴彈，不少平民也跳海，還有母親抱著孩子跳下懸崖，美軍經過翻譯，日軍俘虜喊話，保證安全，但自殺沒有停止，共約數千人喪生。

塞班島登陸戰役中，美軍陣亡三千四百人，傷一萬三千人，日軍守備部隊四萬一千人陣亡，被俘兩千餘人，島上平民兩萬兩千人喪生，佔全島居民總數三分之二。

※　※　※　※

任思漢說完塞班島戰役後，長嘆一聲，看著西沉的落日，表情嚴肅若有所思。

任妻問：你在想些什麼？

任思漢說：我常常在想：人人都知道戰爭可怕，但就有少數野心家卻利用戰爭來達到政治目的，他們不顧人民的幸福與死活，去滿足他們的野心。

日本是個怪異的民族，他們戰敗投降，但仍然不認錯，也不服輸，更不願道歉，日軍殺害了三千多萬的中國人，也殺了五百萬的亞洲人，但從不認錯道歉，好像是理所當然，不像德國人，在戰敗投降後，立即認錯道歉，總理歐蘭德還對被侵國家下跪認錯，這是何等胸襟？怎不令人敬佩呢？

還有：任思漢繼續說：我最不開心的事就是：做台籍日本兵那麼久，薪餉還不及本土日本兵的一半，而且不發現金，多是發債券，或德國馬克，根本不能兑現使用，另外生活配給品也不及日本本土兵三分之一，這種事教人越想越生氣！

任妻說：我同意你的看法，難怪日本多年來一直想要修改和平憲法，擴張三軍部隊，研發尖端武器，還想派兵海外，準是不安好心。

任思漢說：那可不是嗎？日本的極右派像安倍晉三、石原慎太郎、田中正明等早就圖謀恢復軍國主義，主張對外擴張，這已是世人皆知，我們不得不防啊！

任妻說：世界的未來還真是難料哇！

※　※　※　※

塞班島的落日已經西沉，夜幕即將籠罩大地，任思漢挽著愛妻緩緩走下斷魂崖、總算完成多年來重遊塞班島的心願。

從捍衛釣魚臺談日本侵華暴行

車潤豐

廿五年前釣魚臺事件，曾激起全國青年為保釣而抗爭。於一九七一年十二月二日我國行政院下令將釣魚臺列嶼劃歸臺灣省宜蘭縣管轄後，因未實際行使管轄權，故當高雄市聖火傳往釣魚臺時，即被日本軍艦驅離，受辱而返。日本則沿用佔領臺灣時，擅將釣魚臺列入琉球以為侵佔之藉口，日本在第二次大戰本來是戰敗國，而今竟然又以侵略者的高姿態，併吞我釣魚臺，是可忍，孰不可忍？

國家之基本責任，即在捍衛領土主權之完整，我外交部重申釣魚臺列嶼領土主權屬於中國，各縣市政府亦發表嚴正聲明，中共外交部同時宣佈釣魚臺列嶼是中國固有之領土，兩岸立場一致。而日本政府仍未命「日本青年社」自行拆除擅自設置在釣魚臺之燈塔及日本國旗。我中華民國政府今日應以積極負責的態度，妥善處理釣魚臺之管轄權以能確保我漁民進出之安全為職志。

近有「狂飆年代」一文批評統治階級（不管是在野或執政）慣於把精力放在和民眾

實際較無關的事務上。很明顯的承認外蒙與否，從來就不會影響一般民眾，而釣魚臺事關國家領土主權，直接影響我漁民實際之作業，迄未將經濟海域完成立法，此其間宜蘭漁民曾決定組隊前往釣魚臺抗議，日本政府要求停止，日巡邏船艦奉令戒備，若我漁船進入十二浬海域，將執行驅離云。一旦我保釣漁船向釣魚臺進發，再如以前高雄市傳聖火，被日本軍艦驅離而返的話，那是又一次喪師辱國，切不可等閒視之，一定要運用我們的外交和國防力量，來挽回此一頹勢，維護釣魚臺領土主權之完整。

此次在釣魚臺設置燈塔之「日本青年社」和去年以六萬美元想在美國紐約時報刊登否認南京大屠殺廣告被拒之「日本青年自由黨」同為日本保守派政治團體，他們都在處心積慮來掩飾日本在第二次大戰時一切侵略罪行。由釣魚臺事件，應喚起國人毋忘日本侵華暴行。

日本侵華、血染我山河，臺民首當其衝。甲午之戰割讓臺澎，臺胞義不臣倭，數十次抗日運動，留下天地正氣，民國四年的噍吧哖事件（現名玉井），日軍屠殺我臺民同胞一次多達三萬人以上，民國十九年，日軍圍攻霧社，除以重砲轟擊外，更使用毒氣，砍下原住民的人頭堆集如山，慘不忍睹，本省被擄去所謂「臺籍慰安婦」，生不如死，被強征臺藉日本兵，亡命天涯，迄今日本政府對彼等賠償問題，仍在拖延，不肯解決，殊堪痛恨。

隨著日軍鐵蹄蹂躪中華大地，燒、殺、淫、掠，僅南京一地之大屠殺即逾三十六萬人，道路屍塞，江水盡赤，人神共憤，草木含悲，滔滔長江東逝水，那是死難同胞的淚，那是抗日將士的血，往日的繁華，頓成萬死孤城，白骨彊場，正如「甲申錄聞」所寫：

腐肉白骨滿彊場，萬死孤城未肯降；
寄語路人休掩鼻，活人不及死人香。

豈不知比南京大屠殺更加殘暴的那就是日本罔顧國際公法及人道原則，發動過一、三〇〇次毒氣攻擊，和秘密以解剖活人，發展細菌戰，尤當抗戰末期，日軍孤注一擲，在其南下長、衡、進攻貴州時，在滇西及貴州等地區，多次使用細菌爆彈，不數日我軍民感染鼠疫死亡者，高達三萬四千多人，有山區幾百人的村莊全部死亡。民國卅四年八月十日在哈爾濱之日軍將七三一細菌工廠千餘人體標本，扔進淞花江內，同時將囚禁作活人解剖的八百人，秘密處死，活生生地八百人，頓成一堆堆的屍體白骨，那真是：

可憐淞花江邊骨，猶是春閨夢裡人。

八年浴血抗戰中國犧牲最為慘烈，抗戰勝利，對日本沒有報復也未要求賠償，促成日本戰後迅速復甦，成為經濟大國，而今「大日本軍國」的幽靈，又在扶桑放肆徜徉，美化侵略行為修改教科書，為侵略戰爭亡靈招魂的「靖國神社」香火鼎盛，日首相亦往參拜，諸此等等吾人對日本窮兇惡極的殘暴本質，應有充分的認識，由釣魚臺事件之起，更應高度警惕。

（原載民國八十五年九月日本研究雜誌）

盧溝橋的第一槍

黃文範

一、

一九三七年七月七日夜，中日軍隊在北平市的盧溝橋發生衝突，雙方進行交涉調解，日軍揚言演習失蹤的那名士兵志村菊次郎，也已在二十分鐘以後歸隊。這時卻響起了震撼全世界的第一聲槍響，爆發了我國為時長達八年的抗日血戰，迄今已達七十八年。

在歷史的記載中，交戰國雙方的中國與日本當局，都將盧溝橋事變定位為第二次世界大戰的開端。

盧溝橋守軍嚴陣以待

蔣經國在〈建黨八十五周年紀念專文〉中，便指出「中國抗戰，是關係整個世界大戰成敗的一役」：更沉痛說，當時「我全國軍民浴血抗戰，悲壯慘烈，列強不但沒有正義的行動，而且還把戰略物資供應給侵略者：甚至還幫日本封鎖我們的國際通路，對苦難的中國落井下石」。

日本在一九四一年十二月十二日，也就是攻擊珍珠港後第四天，由「大本營與政府聯繫會議」為發動的太平洋戰爭定名，通過決議為「大東亞戰爭」：而由內閣情報局公開宣布「這次對米、英、蘭（荷蘭）、戰爭，含中國事變，統稱為大東亞戰爭；雖稱大東亞戰爭，但並非意味著戰爭地域僅限於大東亞」。足見日本政府坦率表明，第二次世界大戰，自七七盧溝橋事變開始。

使日寇膽喪的二十九軍大刀隊

西方記載兩次世界大戰，迥然有別，以一戰來說：「一九一四年六月廿八日上午十一點十五分，奧地利的斐迪南大公Francis Ferdinand）及夫人，在奧匈帝國的波斯尼亞省（BOsian）省會塞拉耶弗市（Sarajevo）遇刺身亡，引起第一次世界大戰。開槍的人，是波斯尼亞省的塞爾維亞人（Bosnian Serb）加夫里洛普林西佩（Gavrilo Princip）」，足見歐洲史界對第一次世界大戰發生的人事時地，敘述得清清楚楚：但是對第二次世界大戰的起源，卻略而不詳。

七十八年後，儘管是抗日戰爭勝利已到了七十周年，我們今天還有很多人要問，發動第二次世界大戰的普林西佩何在？說得更明確一點：

盧溝橋事變，是誰開的第一槍？

二、

西方雖然將盧溝橋事變納入世界大戰（World Wars），但對中日雙方誰啟動戰端，卻不分青紅皂白，一筆帶過，稱「一九三七年七月七日，中國與日本的部隊，在接近北京（應為北平）的盧溝橋（馬可波羅橋）相互開火」。可見西方史學家對亞洲不求甚解，重大地名都不正確。

美國寫《旭日東升》（The Rising Sun）的約翰杜蘭（John Toland），對這一段史實，也寫得模稜兩可：他在書中第二章〈盧溝橋〉（TO the Marco Polo Bridge）中猜測：

「開槍的是什麼人呢？是否土肥原一派日軍，為了製造以兵力侵略中國的口實，而故意擴大事態呢？還是共黨為了觸發蔣介石和日本人之間的全面戰爭，以便於促成赤化中國的目標，而陰謀暗放的冷槍呢？」

西方史學界無法斷定盧溝橋事變誰是禍首，中日雙方的史學家更是說法齟齬，歷經四十七年，迄無定論。

日人古屋奎二所著的《蔣總統祕錄》中，提及「第一槍由哪一方面射出，有人推是共產黨的便衣隊所發，藉以肇生事端。但（二十九軍排長）祈國軒說：『共軍的槍聲又是一種聲音，馬上就會聽得出來，並不像那樣的響聲。』」

李雲漢著《盧溝橋事變》一書，對戰後日本偏重「誰放第一槍」問題，淡然不以為意：「由於日軍在盧溝橋的演習是非法的，更由於盧溝橋事變已演變為兩國間全面的戰爭，所謂『第一槍』的爭論，已毫無意義。」（按：本文提及「盧溝橋」因引文出處不同，部分作「盧溝橋」仍依照原文。）

「戰後日本出版有關盧溝橋事變的書籍，無不偏重所謂『第一槍』問題。暗示的用意是：誰放出『第一槍』，誰就要負挑起戰爭的責任。但問題並非如此簡單，不僅所謂『第一槍』迄今仍是『謎』，說七月七日夜晚盧溝橋畔射擊『第一槍』的一方，該負戰爭責任，也是草率而膚淺的看法。」

當時擔任北平大使館武官輔佐官的今井武夫少佐說：「最初的射擊有人認為中國兵偶然發生，或有計畫性者、或陰謀，此陰謀是由於日本軍的謀略，或由中共、或由尖銳抗日分子之謀略等。雖以各種方式調查，但至今仍然不清楚該項縱火者是誰。但不管如何，根據本人的調查結果，絕對不認為是日本軍所為。」

寫《第二次中日戰爭史》的吳相湘，在一九六〇年，在東京面告今井武夫說，「第一槍問題是枝節問題，日軍當時在河北省各地的橫行無忌，才是觸發戰爭的真正原因。」

日方熱心討論「第一槍」的人，首先是事變時的當事人。如支那駐屯軍參謀長橋本群等，都寫了「回想錄」和一些專文：寺平忠輔則著有《盧溝橋事件》專書；當年在盧溝橋演習的中隊長清水節郎「手記」，也被視為重要的史料。其次是歷史學者們，如貝塚茂樹、岩村三千夫、秦郁彥、臼井勝美，軍事評論家兒島襄，新聞評論家古屋奎二等，在他們的著作中，也都討論到「第一槍」的問題。軍史學家伊藤正德說得更爽快：「此一事件的發生，可能是共產黨的陰謀，無賴漢的製造事端，或無統制的反日中國軍人的惡作劇，反正均和日軍無直接關係。」

另外在日軍《北平特務機關日記》中，有關「對於華北事變開端」的情報，7月16

日記事如下：

「冀察要人的有關華北事變談論如下：

事變的主角是（國民政府抗日）藍衣社駐平津第四總隊，該隊在軍事部長李杏村、社會部長齊如山、教育部長馬衡、新聞部長成舍我的組織之下，再由西安事變當時曾在西安的第六總隊之一部參加，以日本軍經常演習最頻繁的盧溝橋為中心，巧妙地策畫，使日本軍與第二十九軍衝突，第三十七師完全中了它的圈套。」

日本有兩位教授，先後到台灣，都大談盧溝橋事變「第一槍」的問題。

五十四年前，也就是一九六一年，日本亞細亞大學經濟學教授石村暢五郎來台，在淡江文理學院（淡大前身）作公開演講時說：盧溝橋的第一槍，是共產黨的游擊分子，同時向中日軍隊開的，因為挑起中日戰爭，正是共產分子當時陰謀的最大目標。他還說，當時盧溝橋衝突部隊的部隊長櫻井德太郎（實則為日軍北平陸軍特務機關少佐，兼第二十九軍顧問），是他的福岡小同鄉，戰爭結束以後，櫻井親口向他說的。

他這番說法，引起老報人龔德柏的反駁：

「我奉勸石村教授回到日本，找到重光葵著的《昭和之動亂》上卷〈北支工作〉六項（121頁至123頁）讀讀，就知道盧溝橋日本一士兵失蹤，是對華北五省大舉侵略的開始。這項政策，是廣田內閣在一九三六年八月十一日五相會議所決定的；近衛內閣出兵五個師團，不過實行廣田內閣的決策而已。」

二十六年後，一九八七年，也是抗戰勝利五十周年，台北召開「蔣中正先生與現代中國學術研討會」。日本拓殖大學的秦郁彥教授，發表了一篇論文〈盧溝橋事變與蔣中正先生的開戰決意〉，文中提到「第一槍的『犯人』，依然是個謎」。他把各種「犯人」說法，分為：

「（一）日方所為的說法：

這一說法，是指該事件為中國駐屯軍、特務機關、浪人等出自個人的陰謀。至目前為止，有幾個人的名字被提到，但都不出推測的範圍，而現地的關係者，均加以否認。

（二）中方所為的說法：

（a）西北軍閥所為的說法：

此說是指反蔣運動失敗，意圖恢復華北實權的西北軍閥巨頭馮玉祥，連同石友三、陳覺生等人所為的陰謀。冀察政權內也有馮系分子。

（b）藍衣社所為的說法：

是國民政府的謀略機構藍衣社第四總隊，意圖製造日軍與第二十九軍衝突所為的陰謀。

（c）中國共產黨所為的說法：

此說自當時起即廣被採信。據說是潛伏在北京大學圖書館的中國共產黨北方局第一書記劉少奇（後為中共國家主席）所下的命令，但沒有證據證實。

（d）偶發性事件的說法：

第二十九軍的下級幹部或是兵士，因眼見日軍在自己面前演習，由於錯覺乃至於恐懼而開槍的。如果是這樣的話，那批士兵便是自宛平縣城派駐堤防陣地的金振中指揮下的正規軍。」

秦郁彥教授出身於東京大學法學院，卻有興趣研究軍事史，這篇討論盧溝橋「非法射擊」的問題，文字鏗鏘，只是他並不在行，根本不知道日本研究近代史的學人，對七七事變的「第一槍」，三年前早已默爾而息，萬馬齊瘖，再也不敢置一詞了。因為一九八四年，倫敦的「鳳凰平裝出版公司」（Phoenx Press Paperback）出版了路易士艾倫（Louis Allen）的《緬甸：最長的一戰》（Burma, The Longest War），並且由平久保正男、永澤道雄與小城正識譯為日文。書中主將之一，為日軍第十五軍軍司令官牟田口廉也中將，天驚石破，這員梟將在書中數度坦白自承，他就是：

盧溝橋事變開出第一槍的人！

三、

一九三七年七月七日的盧溝橋，中日雙方部隊對峙時的番號及部隊長為：

中國部隊

第二十九軍軍長宋哲元上將、第三十七師師長馮治安中將、第一一〇旅旅長何基灃少將、第二一九團團長吉星文上校、第三營營長金振中中校。

日本部隊

支那・駐屯軍田代皖一郎中將、步兵旅團河邊正三少將、步兵第一聯隊牟田口廉也大佐、第三大隊一木清直少佐、第八中隊清水節郎大尉、八中隊第一小隊一度失蹤，廿分鐘後即歸隊的士兵志村菊次郎。

中方的宋哲元軍長，當時在山東家鄉，何基灃旅長與馮治安師長都不在現地，面對日軍的為吉星文團長，守衛宛平城與盧溝橋的部隊，為金振中那一營。

日方的駐屯軍司令官田代皖一郎中將，當時重病；旅團長河邊正三少將，則為了視察步兵第二聯隊正進行的中隊教練檢閱，離開北平到秦皇島西面的南大寺露營地，並不在北平步兵第一聯隊夜間演習的現場，而由聯隊長牟田口廉也大佐代理統裁；演習的一木清直少佐第一大隊，由所轄的第八中隊（清水節郎大尉）進行演習。

日軍演習，為的是普及步兵學校教官千田大佐主編的《新步兵操典草案》，課目為：「利用薄暮對敵軍主陣地實施攻擊」及「黎明突擊動作」；演習針對的目標，極為明顯。

因此，一九三七年七月七日晚上，盧溝橋中日軍隊雙方對峙的主官為：

中國吉星文上校VS日本牟田口廉也大佐。

四十七年後，《緬甸——最長的一戰》一書出版，牟田口廉也終於挺身而出，白紙黑字，自承他就是第二次世界大戰啟釁的普林西佩。盧溝橋事變，是他開的第一槍！

牟田口廉也的經歷如下：

牟田口廉也中將（Lt. Gen. Mutaguchi Renya），一八八八年生，佐賀縣人。

陸軍士官（軍官）學校第二十二期步兵科畢業

陸軍士官學校區隊長

陸軍大學畢業

第一師團（林仙之中將）司令部部員

參謀本部部員

參謀本部總務部長（參謀總長載仁親王）

1933.12.20-1936.12.1

支那駐屯軍（田代皖一郎中將）步兵旅團（河邊正三少將）步兵第一聯隊長

1936.12.1-1938.7.15

新設第四軍（中島今期吾中將）參謀長 1938.7.15- 1939.12.1

第四師團（山下奉文中將）參謀長 1939.12.1-1941.4.10

第二十五軍（山下奉文中將）第十八師團長 1941.4.10-1943.3.18

第十五軍中將司令官 1943.3.18-1944.8.30

在以上職務中，他在資淺時，便進入日軍權力中心，在參謀本部由部員而升任總務部長。

當時，參謀本部的五個部長中，第一部長古莊幹郎，十四期；第二部長磯谷廉介，十六期；第三部長山田乙三，十四期；第四部長西尾壽造，十四期，都為少將；而牟田口廉也只是廿二期大佐，資低歷淺，卻任重且久，堪稱異數。他在日本陸軍皇道、統制兩派中為統制派，任參謀本部的要職達三年，自是得以厚植統制派的實力，也為自己扎根基，與統制派的主將東條英機相互配合。七七事變以後，更得東條提升，一帆風順，扶搖直上，成為野戰軍師團長兩年，更晉升軍司令官一年又半，紅極一時。

牟田口廉也掀起盧溝橋事變，導致擴大為大東亞戰爭，他自知責任重大，在聯隊長任內三緘其口，保持沉默。到了他調新設第四軍參謀長，升少將後，便蠢蠢思動。一九三九年，飯田祥二郎少將視察東北的關東軍，牟田口廉也便向飯田報告，自承「兩年前任第一聯隊長時，在盧溝橋開出第一槍」！

這是牟田口廉也頭一次公開承認，自己掀起盧溝橋事變。

牟田口廉也曾調任第四師團（山下奉文）參謀長，得到山下的賞識。山下奉文為皇道派，在二二六事件時，任軍事調查部長，事後皇道派遭到整肅，因為他是實戰的將領而留現役，但他對統制派的牟田口廉也仍加重用。

大本營派山下奉文大將的第二十五軍進攻馬來半島及攻占新加坡。山下所屬三個師團，有第十八師團（牟田口廉也中將）。此外，還有第五師團（松井太久郎中將）及近衛師團（西村琢磨中將）。

牟田口廉也率領第十八師團，在馬來作戰中表現不凡，師團的步兵第二十三旅團長佗美浩少將，率領步兵第六十三聯隊（那須義雄大佐），官兵共五千三百人，在一九四一年十二月八日午夜（攻擊日 D-day）一點三十八分，首先在馬來半島登陸成功，展開太平洋戰爭的序幕。攻擊發動時間（H-hour），較海軍南雲忠一中將「機動部隊」轟炸珍珠港，還早了一個半小時。

圍攻新加坡島時，第十八師團與第五師團並肩登陸作戰。一九四二年二月九日零時，渡過柔佛海峽（Johore Stralt）。由於船艇有限，登陸部隊分成十二個舟波。通常師團司令部，應在對岸已有橋頭堡時的第十舟波登陸，而急於建功的師團長牟田口廉也中將，卻早於主力部隊，搭乘第三舟波突擊搶灘，等於直接跳進敵陣火力，師團司令部的參謀竟被英軍手榴彈炸斷了腿腳。

一九四二年二月十五日，新加坡英軍投降。論功行賞「馬來之虎」山下奉文大將當居首功，可是由於他屬於皇道派，在春暖花開的「昭南市」，只待了四個半月；七月一日，便奉首相兼陸軍大臣東條英機大將一道金牌召回東北，密令：

「直往滿州牡丹江新任職所。」

山下奉文就此任關東軍第一方面軍司令官，冷藏在東北達兩年三個月。直到戰爭末期軍事失利，東條一九四四年七月廿二日下台，他才在一九四四年九月廿三日復出，歸還菲島擔任指揮官，但已難挽狂瀾於既倒了。

日軍兵下馬來亞的第二十五軍，三個師團長中，只有第十八師團長牟田口廉也中將，特蒙東條拔擢，在一九四三年三月十八日，繼飯田祥二郎出任在緬甸作戰的第十五軍軍司令官。

「彼得原理」（The Peter Prmciple）認為「在一個機構中，每一位員工都會升到他的辦事無能級」，牟田口廉也未能例外，他在勝利光環籠罩下，飛黃騰達，成了獨當一面的主帥，心態與用兵便由一員身先士卒的驍將，而成為養尊處優、好大喜功、目空一切的梟將；他指揮跋扈，撫御無能，在一年五個半月的軍司令官任內，先後將軍參謀長小炤信良少將，及麾下三個師團長（第卅一師團長佐藤幸德中將，第卅三師團長柳田元三中將，及第十五師團長山內正文中將）悉數撤換，可見一斑。以致緬甸一戰，成為一敗塗地、全軍盡沒的敗將。

他的勃勃野心遠不止此，一九三七年，在北平附近發生盧溝橋事變（按：盧溝橋位於河北省宛平縣），他身為聯隊長，深信自己引爆了中日戰爭，終至引起珍珠港和太平洋戰爭。他升為第十八師團師團長，參與征服英屬馬來亞，也是使新加坡投降的日軍主力，那是他的第二次勝利。而第三次，將居各次勝利冠冕的，便是將印度從大英帝國奪下來：他更在日記中，直言不諱，要在發動盧溝橋事變與攻略新加坡兩大功績外，驅軍直入印度，立下第三大功：

我啟動了盧溝橋事變，擴大成為支那事變，然後加以擴展，直到它轉變成為大東亞戰爭。倘若目前我以本身全力進入印度，能對大東亞戰爭作出決定性的影響；我，原是這一次大戰爆發的遠因，定會在國人眼中目為做得對。

有了以上這些當事人自承不諱確鑿無訛的史實，在抗戰勝利七十周年，我們終於解開抗戰史上七十八年來的一個疑團：

一九三七年七月七日夜，在盧溝橋事變發出第一槍，引爆第二次世界大戰的「犯人」，便是：

日本支那駐屯軍步兵旅團第一聯隊長牟田口廉也大佐。

牟田口廉也，中日兩國人民，記住了！

由熊本大地震談起

日相安倍晉三的軍國主義之路

一、一九二三年，日本東京大地震，整個東京市天搖地動，房屋倒塌無數人員死亡十多萬，傷者無數，日本人多數感到極度恐慌與絕望，乃有軍國主義興起，想征服世界，移民海外，放棄日本原住的諸島。

二、一九三一年九月十八日，日本關東軍無故突襲瀋陽，進而占領東北全境；不久又在一九三七年七月七日日本華北駐屯軍聯隊長：牟田口廉也，在盧溝橋開出第一槍，掀起全面侵華戰爭。

再不久，一九四一年十二月八日，日軍又偷襲珍珠港，重創美軍在珍珠港海空軍及其諸多設施，掀起了太平洋地區海空大戰；日前，二戰雖已結束七十年了，但日本人只認為是「終戰」既非戰敗，也非投降，只是「暫時性終止戰爭」。豈非荒謬？

三、安倍晉三第一任首相做得不好，黯然下台，第二任上台後，積極向右靠攏，與極右派大老石原慎太郎、阪田等三人組成右派鐵三角，積極推動以下措施：

甲：第一步先解除憲法第九條所設限的「集體自衛權」並予以擴大解釋「可以派兵海外、或駐軍海外」。

乙：二〇一五年九月，安倍首相策劃要強行通過「新安保法」也就是進一步尋求派兵海外的強力法律支持，雖是街頭抗爭不斷，議會內打羣架、全武行，最終「新安保法」總是通過了！雖有南北韓的抗議，中國大陸的強烈抗議，但是安倍晉三還是贏了，更向軍國主義之路靠近了。

四、二〇一六年四月十四及四月十六，日本熊本市發生兩次大地震，前者是 6.4 級、後者 7.3 級，隨後一周又有數百次餘震，造成四十八人死亡，數千人受傷，房屋倒塌數千棟，十萬人無家可歸，日本政府慌成一團，居民人心恐慌；熊本市乃日本觀光大城，地震摧毀後，對日本觀光當然影響很大。

尤有進者，日本地震學者警告，熊本地震只是前奏，接著，將會有阿蘇火山、富士火山大爆發，會接踵而來，更可怕的是南海海溝、馬里安納大海溝，也會有地震、海嘯發生，屆時，日本會有滅國滅種之虞，因此，日本人心惶惶，極度恐懼！此時，日本人的心理壓力跟一九二三年東京大地震之後，幾乎相同；他們想像到未來的日本，要倒塌在七千公尺深的馬里安納大海溝裏那種可怕慘狀，目前日本人唯一的出口就是：「傾全力向外侵略、擴張、移民」。以確保大和族的生存。

八十年前「田中奏摺」就是這種心態的產物。

當前：安倍晉三的解除「集體自衛權」以及「新安保法」也是這種「末日狂徒」心態，跟百年前的心態相同。

在日相安倍晉三的心裏，日本帝國的存在發展最重要，從不考慮被侵略，被移民國家的痛苦與感受。

五、抗日戰爭還會有續集嗎？

這是抗戰老兵葛建業先生的著作，茲摘其要點如下：

甲：安倍首相主導日本政局將會蠻幹到底：

1. 安倍是日本極右派，出身日本山口縣，流著長洲藩傳統武士的血脈，主張「一君萬民論」。

2. 追隨岸信介，佐藤榮作的腳步，要恢復日本昔日的榮耀與霸權。

乙：日相安倍晉三消滅中國計畫曝光：

1. 消滅中國的戰略和作戰構想：

日本認為世界上許多肥沃土地與寶貴資源都不在日本，而被一些像支那（中國）的劣等民族所擁有，如此太不公平，因此日本要儘快的「消滅中國、牢控亞洲、征服世界」。

日本最終出路就是「發動戰爭」

這跟百年前的田中奏摺內容沒兩樣。

2. 檢討改進未來的作戰方式：

A. 在未征服亞洲之前，不應招惹美國。

B. 滅亡像中國如此大國，不能急於一口吃掉，像吃生魚片，要一片一片的去吃。

C. 把中國分成七塊：（李登輝曾說過的七塊論）

鼓惑蒙古、新疆、西藏、青海、寧夏、滿州等，使其分裂成獨立的國家，這是征服

亞洲的第一步。（未完）

綜合以上分析：

熊本大地震觸動了日本人的敏感神經，也進而喚醒了日本人對於百年前東京大地震的恐懼記憶，地震專家的一再警告，使得日本人心惶惶，未來富士山、阿蘇火山大地震，會使日本四個本島，傾倒在馬里安納大海溝裏，屆時日本會滅國滅族，因此，極右派的安倍晉三等認為只有發動戰爭才是唯一活棋，唯一的出口；目前的政策就是：「傾全力向外侵略、擴張、移民」以確保大和民族的持續生存。

日本極右派的心態是：寧可死在砲火中，也不要埋在火山灰裏，或者是埋在馬里安納大海溝裏。

全球華人紀念抗日協會簡介

潘長發

一、緣　起

民國一〇二年有愛國愛鄉人士鍾蕾妮等發起籌組「全球華人紀念抗日協會」其原由，乃因關係我中華民族絕續存亡之抗日聖戰雖已遠去七十九年，且已漸次為國人所淡忘，甚至被日本人扭曲或惡意否認，尤其令人不解者，我們自己的教科書，也把抗日戰爭由書中移除，甚至刻意美化日本佔據台灣；日本據台期間種種之暴行隻字未提，台灣同胞多起激烈抗日行動亦被全部掩蓋，令人痛心！

本會多年來，努力推行紀念抗日活動（含台灣日據抗日）並以文字、圖片、影像、歌謠，等呈現歷史真相；每年邀請抗戰老兵舉行表揚，或邀請專家座談；其目的在彰顯抗戰精神，還原歷史真相，期使為抗戰而犧牲之三千多萬軍民，英魂不致含冤於九泉之下。

本會多年來，亟欲建立「抗日戰爭紀念館」以各種文物，具體呈現抗日戰爭之全貌，使後代子孫勿忘我中華民族五千年來所遭受之最慘痛異族迫害，與最深之屈辱；所謂「仇恨可以遺忘，但歷史不可忘記」；建館之舉，政府早表贊同，但未見執行，本會力量薄弱，無力實現，十分遺憾！

二、活動概況

一、舉辦紀念活動：

每年七月七日前後，或台灣光復節，舉行紀念大會、音樂會、座談會、圖片展覽等，呈現抗戰原貌，發揚抗戰精神，激發愛國愛鄉情操，期使毋忘國難與國恥。

二、尋找兩岸抗戰老兵

本會尋找抗戰老兵，多年來持續進行，除在台灣地區積極尋覓訪問之外，亦曾遠赴上海、南京、北京、重慶等地，尋訪前國軍抗戰老兵，並代申辦抗戰勝利紀念章，共計三百餘人。

三、舉辦國旗歌、愛國歌曲比賽

四、舉辦抗戰老兵（含台灣日據）影像比賽

五、台灣光復節，舉行專題座談會及圖片展

六、台灣先賢先烈抗日故事（含八年抗戰）影片放映

七、邀請日本合唱團，來台演唱並致歉

八、邀請北京交通大學合唱團、重慶西南大學合唱團來台灣唱抗戰歌曲，與台灣青年交流同唱抗戰歌曲，及台灣日據歌謠；並赴南部鳳山市，向抗戰勝利紀念碑獻花致敬。

三、結　語

抗日戰爭乃是以血肉、頭顱所堆砌，與堅強意志支撐，而獲得最後的勝利；洗刷百年以來所遭受之欺凌與屈辱，國人在享受成果之餘，允宜用感恩心情，緬懷先烈先賢犧牲奮鬥奉獻之精神，致上崇高之敬意。

向抗戰及日據抗日烈士致敬

重慶西南大學於鳳山市抗戰紀念碑前獻唱抗戰歌曲

日本紫金草合唱團來台致歉並獻唱抗戰歌曲

抗戰時期個人裝備演出

兩岸青年合唱大刀進行曲

愛國旗、敬老兵、憶烈士

一寸山河一寸血、十萬青年十萬軍

全球華人紀念抗日協會同仁合影

民國二十二年在萬里長城上對日作戰

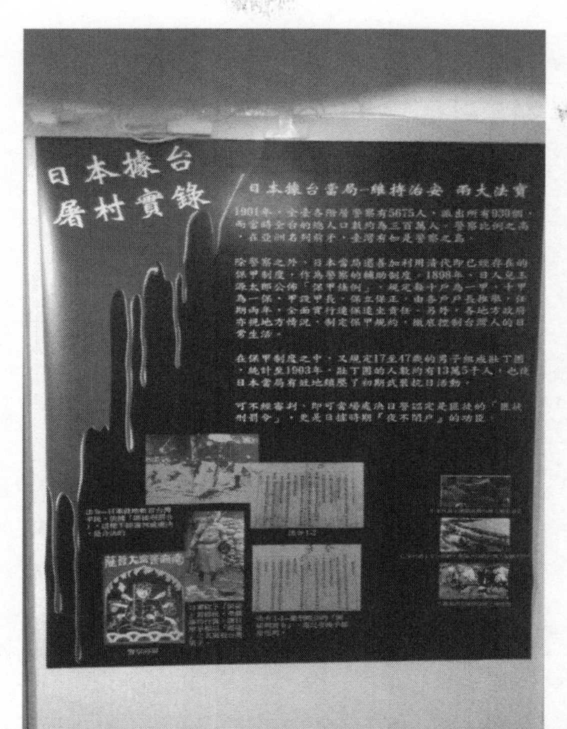

左圖：日本據台屠村實錄

下圖：噍吧哖（現台南市玉井區）音樂會

抗戰老兵與台灣少年團光復節表揚活動

重慶西南大學音樂系師生訪問台灣

中華民國九十八年七月一日 星期三 榮光雙周刊 七七專刊 4

毋忘盧溝烽煙日

■資料來源：國防部史編室

——蔣委員長發表抗戰宣言：「最後關頭一到，便只有地不分南北，人不分老幼，拚全民族的生命，以求國家的存亡，不容許中途妥協，唯有犧牲到底，抗戰到底，以爭取最後的勝利。」……

民國二十六年七月七日深夜，日軍在蘆溝橋附近進行非法實彈演習，藉口一名士兵失蹤為由，要求進入宛平縣城搜查，被我守軍拒絕。

隔日凌晨，日軍在蘆溝橋挑釁，隨即開始向我第二十九軍三十七師吉星文團進攻，史稱「七七事變」或「蘆溝橋事變」，我第二十九軍官兵，打響了對日八年抗戰的第一槍，揭開我國全面抗戰的序幕。

蔣委員長深知犧牲已到最後關頭，於二十六年七月十七日在廬山發表抗戰宣言：「最後關頭一到，便只有地不分南北，人不分老幼，拚全民族的生命，以求國家的存亡，不容許中途妥協，唯有犧牲到底，抗戰到底，以爭取最後的勝利。」並於次日再一次強調：「我們希望和平，而不求苟安；準備應戰，而決不求戰。」

國軍官兵為了國家存亡絕續，浴血奮戰，前仆後繼，歷經八年艱苦對日抗戰，終於三十四年贏得最後勝利，不但保障了國家的命運，也使得臺澎金馬重回祖國懷抱，今日國人在享有安和樂利生活之際，切莫忘記當年參戰官兵及其家屬，獻上最崇高的敬意。

↑抗戰時期，有許多愛國青年從軍報國。

↑民國二十六年七七事變後，蔣委員長號召國人抗戰到底。

↓國軍第二十九軍戰士，於盧溝橋迎擊日軍攻擊，打響抗戰第一槍，掀起全民奮戰的壯志。

鐵頭軍奮勇抗戰

——日軍預知騎七師為「鐵頭軍」，遂以最精銳部隊猛攻國軍第十九團，戰況慘烈……

■劉安邦

老兵憶往

民國二十六年七月七日蘆溝橋事變，中日開戰，國軍騎七師奉令開赴平綏路一帶，加入第八戰區戰鬥序列，司令長官是朱紹良上將，長官部駐在甘肅蘭州，日軍攻下平津，……

騎兵第七師是於二十四年間，國軍於……

↑民國四十九年十一月，在陸軍步兵學校中校政參官的劉安邦（中），參加……時和友軍同袍合影於步兵學校。

↑民國八十九年三月間，劉安邦、童國……（中、左二）伉儷和兒孫合影。

【作者簡介】劉安邦先生，民國二十七年秋考進陸軍官校，……

看見國旗 想到抗戰歌

——當時軍中政工人員教唱的歌曲，像〈大刀進行曲〉、〈歌八百壯士〉、〈旗正飄飄〉……又有一首傳唱各地的〈國旗歌〉，雖不是升旗典禮指定曲，但詞意淺白，易懂易學，深受歡迎……

■文圖：阮秀峰 圖：震明

←民國七十六年夏天，阮秀峰遊覽……

【作者簡介】阮秀峰本名……，抗戰時……民國四十四年轉任公職，曾主編《……》四十年。

榮光雙周刊一〇四年九月二十三日

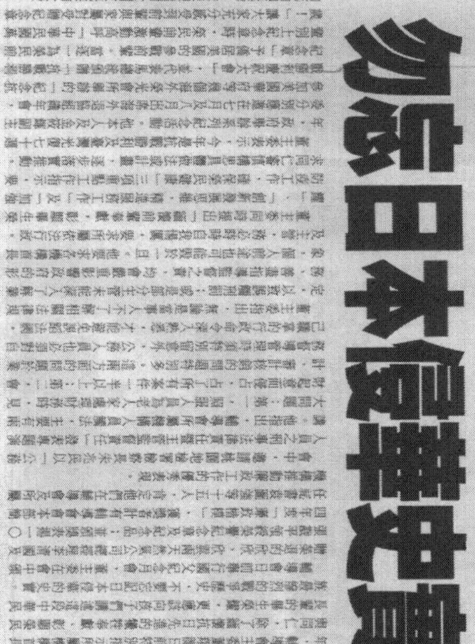

牢記抗戰慘烈 勿忘日本侵華史實

【本刊訊】今年是抗戰勝利及臺灣光復七十週年，輔導會主委董翔龍日前特別指示所屬機構首長與同仁，除了緬懷抗日先進的犧牲奉獻，彰顯榮民長輩的奉生榮耀，更應該向孩子們講述這段中華民族最慘烈的戰爭歷史，不要忘記日本侵華的史實。

輔導會日前舉行國父紀念月會，董主委在會中頒贈榮退的欣欣、欣泰兩天然氣公司總經理李濟國及張淑平領綬榮譽紀念章及紀念品；並頒獎表揚一〇四年度「廉政楷模」，獲獎者計有輔導會會本部簡任祕書袁鳳強等十五人，肯定他們在輔導會及所屬機構推動廉政工作的優秀表現。

會中，邀請桃園地檢署檢察長朱兆民以「公務人員之刑事法律責任暨主管監督責任」發表專題演講，他指出，輔導會所屬機構人員職法，主要有兩大問題：第一，與服務人員為老人家處理財務時，見財起意而侵占，占了所有案件一半以上；第二，會計、審計核銷的問題特別多，這兩方面的問題於業務督導管理時須特別留意外，公務人員也必須對自己職掌的行政命令深入熟悉，才能避免誤觸法網。

董主委指出，無論是當事人不了解相關法律規定，以致誤觸刑罰，或是部分主管未能深入了解業務，善盡指導監督之責，均會嚴重影響政府的形象，個人前途也可能毀於一旦。他要求各機構首長及主管，務必時時自我惕厲，要求所屬依法行政。

董主委同時提出「緬懷前輩奉獻，彰顯奉生榮耀」、「創新發展思維，精進服務工作」及「加強防疫工作，確保榮民健康」三項重點工作指示，要求同仁審慎構思具體做法或計畫，逐步落實推動。

董主委表示，今年是抗戰勝利及臺灣光復七十週年，政府舉辦系列紀念活動，他本人及金前輔副主委分別應邀在七月及八月出席海外退輔組織年會，參加美國華府等幾個海外榮光會所舉辦的「紀念抗戰勝利慶祝大會」，並代表馬總統頒贈「抗戰勝利紀念章」予僑居美國的參戰前輩，當這一「為榮民前輩別上紀念章時，榮民前輩激動高呼『中華民國萬歲！』」讓大家充分感受到前輩與家屬對受贈紀念章的感動與光榮，並表現出對於國家民族的大愛。

目前各榮家與榮服處均陸續代表政府辦理類似頒贈活動，迄今已頒發紀念章四千餘枚，他雖未逐一前往全面頒贈，但在赴新竹榮家、屏東榮服處等頒贈過程中，深刻感受到榮民前輩的驕傲與榮耀。

董主委提醒輔導會同仁，榮民是我們的父執輩，輔導會是照顧榮民的專責機構，在分享尊榮的同時，要注意我們的下一代對於抗戰的歷史傳承在淡忘，抗日戰爭是中華民族最慘烈的一場戰爭，大家都應該向孩子們講述這段歷史，不要忘記日本侵華的史實。

對於「創新發展思維，精進服務工作」的重點，董主委表示，輔導會以輔導退除役官兵就學、就業、就醫、就養、退除給付及服務照顧等工作為核心業務，同仁們應有推動例行業務的能力，更應具備解決問題的創造性思維，因應現代瞬息萬變的環境特性，要培養創新的能力，與時俱進，提供榮民適切的服務。

董主委同時期勉輔導會各首長抱持「以服務榮民為先」的觀念，面臨社會環境與服務對象結構的轉變，以創新發展思維，思考精進服務的方法，帶領同仁做好各項照顧榮民的工作。

董主委另指出，本土登革熱疫情非常嚴重，影響地區已從臺南、高雄擴散至其他縣市，由於榮家是人口集中的場所，很容易發生群聚感染，請大家務必重視防疫工作，確實清除積水及消毒，做好環境衛生管理，尤其各榮服處在拜訪榮民長者時，要多加宣導，希望榮民長者平安健康地度過這段時間。

中華民國一〇四年十一月十八日　星期三　農曆乙未年十月七日　中華民國五十五年一月十二日創刊

馬總統訪視中彰榮家 向抗戰老兵致敬——

如無國軍奮勇抗戰 128萬日軍不會被牽制

【本刊訊】馬英九總統日前訪視中彰榮家，感謝榮民長輩們為抗戰勝利、光復臺灣所做的付出與貢獻。總統指出，當年若沒有國軍奮勇抗戰，不會有一百二十八萬名日軍被牽制在大陸，使其無法投入太平洋戰場，最後才能終結第二次世界大戰，這是中華民國對二戰的貢獻。

馬總統抵達中彰榮家後，在輔導會主委董翔龍陪同下，與榮民長輩合影留念，並話家常。總統提到，今年是抗戰勝利暨臺灣光復七十週年，國防部特別製作抗戰勝利紀念章頒發給參加抗戰的榮民長輩，本來預計頒發四千枚，但目前已經發出超過一萬枚，以表彰榮民長輩們「半生戎馬、功在國家」的付出。

隨後，馬總統在與榮民長輩餐會時致詞表示，國軍當年不僅戰勝強敵，挽救國家，為光復臺灣及建設臺灣付出及貢獻，也協助盟軍贏得二戰，他們的犧牲與奉獻令人動容。

馬總統進一步指出，國軍卸下戎裝成為榮民後，仍為社會做出貢獻，雖然榮民收入有限，但致力公益不落人後，例如中彰榮家從民國九十九年迄今，共有一百七十九人次捐款，累計一百多萬元，完成五百多名兒童的耶誕夢想，幫助社會的愛心令人感佩。

馬總統並提醒榮民長輩，近來天氣逐漸轉涼，應適時添加衣物；也請中彰榮家注意氣候變化，維護長輩的身體健康。隨後，總統逐一和曾參與抗戰的榮民前輩合影留念，並致贈總統府紀念帽及加菜金。

與馬總統合影留念的抗戰先進計有：王繼述、丁方濂、劉緒明、楊開鑫、林瑞勇、刁連金、湯玉春、姚輝、黎永正、白代驥、馮建國、馬天平、謝文彬、謝英禮、胡文江、徐友山、童甫其、唐克緒、李萬煜、任克波、汪富貴、張吉生、彭世德、曹盛澤等二十四位。

包括國策顧問黃明和、陳釘雲、總統府副秘書長熊光華、國家安全會議副秘書長趙克達、行政院政務委員蕭家淇也出席這項活動。

（相關新聞詳見二版）

馬總統（立者左二）到中彰榮家探視長輩，榮民伯伯紛紛予以肯定及打氣。（圖片提供／邱國瑞）

馬總統（前左）在與抗戰前輩刁連金伯伯（前右）合照時，配合其行動不便，以半蹲姿勢合影。（圖片提供／屈文峰）

社團法人全球華人紀念抗日協會

設立宗旨：結合全球關心日本侵華據台史實的個人和團體，以各種方式敦促兩岸政府加強該段歷史真相之文化教育、在台灣建立國家級的史實紀念館，以共同發掘、保存、維護、宣揚該段歷史真相及抗日精神，並力促日本政府承認侵華據台史實並鄭重道歉。

我們的成員有：抗戰老英雄、青年軍、台灣義勇隊隊員、台灣少年團團員、抗戰/台灣日據時代經歷者、抗戰烈士/英雄/將士二代、台灣抗日烈士後代、社會知名學者專家、經歷者後代、媒體工作者、藝術工作者、社會各界人士、青年學子…

本會於 2013.7.28 正式成立，但主要工作人員已舉辦相關紀念活動十數年，列舉如下：

2002 .77 圖片展初試啼聲

2002.10.25 丘逢甲後代丘秀芷女士

2003.10.25 於原國民黨中央黨部

2003.7.7『七七抗戰紀念會』中，
時任台北市長之馬英九先生蒞臨致詞

2005.10.25 光復 60 週年晚會
—中山堂光復廳
重現受降歷史現場場景

【首開先例，2005.12.14-24 邀請大陸各抗戰紀念館館長來台參與紀念活動並進行台灣日據時代抗日史蹟參訪】

2005.12.18 兩岸論壇後貴賓合影

2005.12.16 訪蘆洲李宅
與李友邦將軍夫人一嚴秀峰合影

(清流部落)與莫那魯道後人合影

歡迎入會，誠徵『志工』、『抗戰歌曲合唱團員』、『影像紀實拍攝大隊隊員』

請與我們聯絡 e-mail：1895to1945@gmail.com 地址：105 台北郵政 118-00730 信箱
傳真：008862-25469256 手機：00886-925-141913 鍾欣綱小姐

第二輯　抗戰勝利六十週年

九九同歌會金陵

潘長發

抗戰勝利六十週年兩岸抗日軍人重溫歷史紀實

今年是抗戰勝利六十週年，是日本帝國正式在南京投降的日子，我們這群戰火中長大的孩子能重溫歷史，回到首都南京，在原受降地中央軍校大禮堂，重演六十年前歷史的一幕，真是平生一大快事！

迅速成軍前進石頭城

八月下旬，中國青年軍高雄服務處處長毛世英同學，首先獲知九九同歌會金陵的事，經他的聯絡與安排迅速組成一支十五人的隊伍，決定接受中華民族文化促進會的邀請，遠赴南京參與盛會；我們這支團隊是由康景文將軍率領，跟隨著陸官老校長許歷農將軍前進石頭城，興奮的心情就像民國三十五年還都南京時相彷彿，記得有一天的夜裡，我們站在蕪湖赭山之顛，遠望還都南京的車隊，綿延數十公里，車頭大燈明亮閃爍宛如一條巨龍，煞是壯觀，我們雀躍著向車隊揮手，明知車隊看不到我們，但我們還是跳躍，歡欣地不停揮手。

回憶總是美麗的；而現實生活卻是充滿挑戰，期待和不可測的未來。

九月七日中午，青年軍的袍澤們自高雄出發，經香港轉機，於晚上八時十分抵達南京祿口機場，由文化促進會常務理事劉維斌先生接機，隨即乘專車逕駛華東飯店，房間分配在四樓。

尋訪金陵名勝古蹟

九月八日沒有集體活動，上午由大會接待組替我們安排一輛巴士，讓我們參觀南京的名勝古蹟，我們選擇第一個景點就是總統府，這是民國三十七年才完工的建築群，目前顯得有些風霜、老邁；古樸的灰色屋瓦、天井、台階等覺得似曾相識，既感親切又有些感傷！再看展覽室裏大多陳設太平天國的故事；朝代更替物換星移，政治人物已成過客，江山依舊嬌美，祇是人事全非！

接著看第二展覽室，這是八年抗戰特別展，裏面陳列一些六十年前用過的武器，牆上懸掛許多老照片，有美國飛虎航空隊和中國空軍聯合出擊的照片，有台兒莊會戰、淞滬會戰、八百壯士死守四行倉庫，青年遠征軍出征、台灣光復、日本投降儀式等；有些照片在台灣也展出過。此次同行的飛將軍趙富奇卻一直忙著拍照，也在遠征軍出擊替我拍了兩張。

下一站來到人民大會堂，這幢建築物在民國三十六年落成，當時曾是南京最時髦的建築，不久，國民大會召開，完成了中華民國憲法的制訂。

原來稱為國民大會堂，現在只改了一個字，稱為人民大會堂繼續使用，內部陳設稍有修改，原主席台也改，但天花板內的隱藏式彩色燈光依然如舊，五十年前的設計，現在看來還是很時髦。

第三站去玄武門，原想參觀南京博物館，這裡原是國民政府時期的中央博物院，曾珍藏許多國寶，但今天不湊巧在整修封館，只好回飯店休息。

兩岸抗日軍人見面會

九月九日是個大日子，六十年前的今天，日本宣布無條件投降後，九月三日日本代表曾在美國航艦米蘇里號向麥克阿瑟將軍呈遞降書，六天之後，九月九日上午九時，我政府代表陸軍總司令何應欽上將，在黃埔路中央軍校，接受日本投降，日本方面由駐華派遣軍總司令岡村寧次大將呈遞降書；我青年軍袍澤戰後倖存者都曾見證這段輝煌歷史。歲月不居，六十年後，我們又重回昔日首都，重溫這段珍貴而又讓中國人揚眉吐氣的歷史！

今晨六時就已起身，早餐後七點半登車，八時許抵達黃埔路中央軍校大禮堂，兩岸抗日老戰士魚貫入場，禮堂內座無虛席，約有兩百多人入座，兩旁和中間走道則擠滿記者群和攝影機，教人通過也困難，使會場登時熱絡起來。

九點整大會開始，首先由全國人大常務委員暨民主促進會副主席王立平先生致詞，次由承辦這次「九九同歌」活動的推動者中華民族文化促進會常務副主席王石先生致開場白，說明籌備經過及會議召開之任務與歷史意義；接下來精彩的一幕，便是六十年前跟隨何應欽上將來南京受降的新六軍十四師少校作戰科長王楚英的現身說法，詳細描述六十年前的今天，日本投降呈遞降書及簽字的場景，王楚英說：「當時，我站在中外高級官員席旁，就是何應欽將軍的後方；在八點五十七分，岡村寧次等七名日本投降代表來到大禮堂，他們一直低著頭，神情沮喪，七人在投降席排成橫隊，由岡村寧次帶頭脫帽肅立，向受降席鞠躬。」

王楚英訴說往事，會場上每個人都在仔細地聆聽著，他繼續地說：

「岡村寧次戴著眼鏡，垂著頭一言不發。他平日是很驕橫的人，就在日本天皇宣布投降之初，他還不服氣，以坐擁百萬大軍自重。可是那一刻，他低下了頭，放棄了幻想；巧合的是，他所面對的受降方代表何應欽，竟是當年在日本士官學校時是他的學生。岡村寧次不僅為失敗而低頭，也是為顏面掃地而羞愧。」

「九點零四分，何應欽將軍命岡村寧次呈驗簽降代表證件。接著，何應欽將日本投降書中日文本各一份交給中國陸軍總參謀長蕭毅肅轉交給岡村寧次，岡村寧次用雙手捧接，低頭展讀。」

「九點零七分，岡村取筆蘸墨，簽下自己的名字，並從上衣口袋內取出印章，蓋在名下：他當時心慌把印章蓋歪了，可是在這樣的場合又不方便更改，只得起身向受降席鞠躬表示歉意。」

「我看見岡村寧次簽字時的整個過程，他的手一直在抖，他從右上衣口袋中拿印章，邊抖邊蓋章。」

王楚英還澄清了受降儀式過程中的一個細節；他說：

「受降時，日本代表把投降書遞過來，原本坐著的何應欽一下子站起來雙手接過降書；這個突然站起來的動作後來被人說成沒有威嚴；其實是因為桌子太寬闊了，何上將要接降書，只能站起來，否則就接不到。」

侵華日軍南京投降儀式的整個過程不過是十五分鐘，但卻是王楚英一生中記憶最清晰的十五分鐘，它在腦海裏整整烙印了六十年。

接著是中國國民黨中央委員會贈送主辦單位一份很珍貴的禮物——日本在中國戰區投降簽字的降書複製件，那薄薄的五頁紙降書，它讓我們中華民族從此揚眉吐氣，成為世界四強之一。組委會決定將這份降書交由國家博物館珍藏。

接著，文化促進會主席高占祥先生將自己拍攝的和平鴿放大照片送給了國民黨中央委員會大陸工作會主任委員張榮恭先生。原南京軍區司令員向守志上將也送給許歷農將軍一幅字，上書「弘揚抗戰精神，實現中華振興。」兩位抗日戰友激動的握手、擁抱！最後，由全國人大副委員長許嘉璐致詞，認為今天的見面會意義重大，我們都應該重視歷史，讓歷史還原真相認清侵略者的真面目，兩岸攜手共創未來。

兩岸青年軍袍澤重逢暢談往事

兩岸抗日軍人見面會歷時五十分鐘結束，接著到會場外照團體相，照完團體相便登車，上了第三號車後巧遇王楚英先生，聊起六十年前青年遠征軍在印緬地區叢林作戰的艱苦；毛世英處長說：「在緬甸的密支那、八莫是兩場硬仗，遠征軍傷亡不小，而傷亡更慘的是當地的瘧疾、毒蛇、毒蟲，還有難以適應的氣候……。」

王楚英說：「新六軍與新一軍曾在緬北反攻作戰中並肩作戰，由於默契良好，指揮得宜，故在密支那、孟拱、八莫諸戰役中都是戰無不勝，攻無不克……。」

「而且都是以寡擊眾。最後大獲全勝。」我接著說：「最令人痛快叫好的是八莫戰役，新一軍把日本十八師團全部殲滅可謂大快人心！因十八師團，就是惡名昭彰的板垣師團，他們無惡不作。曾在華北實施『三光政策』，就是殺光、燒光、搶光；使華北人民恨之入骨！此役被新一軍殺得片甲不留，也是罪有應得！」

南京大屠殺紀念館憑弔、獻唱

分別了六十年的昔日老戰友重逢，有說不完的離情別緒與感慨！就在傾訴往事的時候，江東門到了，我門已來到南京大屠殺遇難同胞紀念館，專程來向六十八年前無辜遇難的三十萬同胞弔唁；大家心頭沉重，默然無語，但哀思如潮水般湧來，我門排著隊依序去廣場，給遇難同胞獻花，默禱！

廣場中央的和平鐘響了，它提醒人類，戰爭是可怕的，聰明的人類是該選擇和平，不要戰爭！

廣場的右邊，響起嘹喨的歌聲，兩岸合唱團正在演唱：「石頭城的記憶」、「長城謠」等名歌，十一時半結束，乘車離開。

五台山文藝晚會兩岸同歌

六點半鐘吃完了晚餐，便到大廳集合，乘車去五台山觀賞紀念抗戰勝利六十週年大型文藝晚會，兩岸抗日老戰士約二百人參與，南京地區各界人士約七千多人，把五台山體育館內擠得滿滿地，我們青年軍袍澤坐在主席台第三排中央，看得最清楚，晚會七點半開始，大小節目包括專訪共有二十八組節目，人物專訪穿插其間，使舞台沒有冷場；關於兩岸合唱的節目計有：長城謠、松花江上、太行山上、游擊隊之歌、黃河大合唱、八百壯士、告別南洋等抗戰名歌，這些歌曲都是大家耳熟能詳的；領唱者有來自台灣的姜育恒、薛映東、趙傳、呂麗莉等聲樂家，尤其呂麗莉領唱的八百壯士一曲更是振奮人心的高潮，台上台下一起和聲、擊節，使在場的觀眾情緒到了沸點，許多老戰士都熱淚盈眶，偷偷擦拭眼角。

關於現場專訪由文化促進會副主席王石先生主持，被訪者計有：日本呈遞降書見證人王楚英；張自忠上將之孫張慶新；楊惠敏之子朱復轟；高志航之子高耀漢；四行孤軍上官志標團長之子上官百成等，感性真誠的談話激起現場觀眾的內心共鳴，使晚會更具歷史的深度。

十點鐘了，兩個半小時節目沒有冷場，最後在「團結就是力量」合唱聲中，台上台下相互揮手珍重再見！

回程中，我坐在機艙最後的靠窗位子，俯瞰大地，錦繡河山真美！真美！想想此次南京之旅真是不虛此行，最可貴的是兩岸抗日軍人都達成共識：八年抗戰中，正面戰場都是國軍擔綱主導，八路軍著力敵後戰場，二十二次大會戰只有平型關之役，有八路軍參與，其餘像淞滬會戰，台兒莊大捷，三次長沙會戰等都是生死存亡的關鍵戰役，也都公認是國軍主導，歷史不可扭曲，歷史要還原真象，我們見證了歷史，我們也正在寫歷史。

青年軍代表訪問南京（民 94.9.9）

兩岸抗戰歌曲大合唱（民 94.9.9）

抗戰勝利 60 週年，在南京舉行「兩岸抗戰軍人見面會」（民 94.9.9 南京）

抗戰勝利六十週年感言

潘長發

勝利了！勝利了！日本鬼子投降了！劈拍！劈拍！震撼的炮竹聲把我由睡夢中驚醒，正在迷矇中，弄不清外面發生的情況，母親進來說：「日本鬼子投降了！戰爭結束了！這麼大好消息你怎麼還在沉睡？……」我趕快跳下床，看著月曆今天應是八月十五日。走出戶外，見滿街都是人潮，家家戶戶都在放鞭炮，男女老幼都在街上亂蹦亂跳，有些老人家淚流滿面；對面的董老爹捧著旱煙管慢慢的說：「勝利來得不易啊！多少的生命犧牲，多少個妻離子散家破人亡，才換得這場勝利！」。

「當然！當然！我們國家積弱已久，軍事裝備尤其落後，以我國最原始的武器裝備去對抗訓練精良而裝備又先進的日本軍隊，的確很吃力；不過我全國軍民團結一致上下一心，最後才打贏這場戰爭！……」父親說出他的觀點，停頓了一下又說：「勝利來的有些突然，好像快了些：……」。

鞭炮不停地在放，焰火滿天飛舞，興奮的喊叫聲，夾雜著抗戰的歌聲：「大刀進行曲」「黃河大合唱」「杜鵑花」……這一座小小山城，全城都沸騰起來，那一夜全城燈火通明，除了小嬰兒，大人小孩成人都進入亢奮狀態幾乎沒人上床睡覺！

正義總算戰勝邪惡，我們終於苦盡甘來！

以上這些景象，這些歌聲、喊叫聲歷歷如同昨天，但時光飛逝，勝利之後的狂歡，已是六十年前的事了；江山依舊嬌美，而人事已非，思之令人感傷不已！

對日抗戰是一場民族絕續存亡的殊死之戰全國軍民前仆後繼，在蔣委員長領導下，經過八年浴血奮戰，終於克服強敵，達成救亡圖存的神聖使命。粉碎日寇三月亡華的狂言，取消了百餘年來列強所迫訂的不平等條約，也光復了台澎，東北失地，展現我中華民族偉大的耐力與無比韌性，恢復中國人的自信與應有的尊嚴。

八年長期抗戰，喋血山河，無數同胞遭受日寇肆虐、蹂躪，其凶殘獸行罄竹難書，這一場驚天地而泣鬼神的民族自衛戰爭，終在驚濤駭浪中艱苦奮戰獲得最後勝利。

歲月不居，抗戰勝利轉眼間已過一個甲子，昔日喋血沙場的將士泰半凋零，世人或已淡忘這段慘痛的泣血歷史，民族仇恨可以寬恕，但歷史不可以忘記。

回首漫長而艱辛的八年抗戰，使三千萬個家庭破碎，一億以上同胞流離失所，在飢餓與疾病中掙扎。敵寇鐵蹄過處哀鴻遍野，蘆舍成墟。這是中國人所遭受到史無前例的最大災難與屈辱！也由此暴露出大和蝦夷民族的凶殘、陰狠、惡毒與醜陋的本質。

這段悲慘的海棠血淚，是整個中華民族的蒙難史，是每一個炎黃子孫永遠的痛！是全體中國人烙印在心坎上抹滅不掉的深深傷痕！緬懷這一頁慘痛的過去，更宜惕勵未來，發揚堅苦卓絕的抗戰精神，致力國家現代化發展，精誠團結，開創璀燦的明天。

集體失憶症

潘長發

失智症、失憶症聽起來很相似，那就是一部分的老人到了六七十歲之後，智力、記憶力逐漸減退，到最後連自己親人也都不認得了，人到如此地步，不但是個人悲劇的開始，也是全家人痛苦的開始。

個人的失智或失憶，影響到全家人的幸福，一個國家或民族失去記憶，便叫做「集體失憶症」這是極其悲哀的事。

記得十年前，二戰勝利五十週年前夕，當年的參戰國，在諾曼第重演登陸戰，當年的空降部隊倖存老兵，也在諾曼第跳傘表演，只有二戰期間，獨立抵抗侵略者最久，犧牲最慘烈的中華民國卻默不作聲，政府不表態，民間沒有聲音，媒體不寫，不報導，文史工作者也都裝糊塗躲起來，大家一起默默承受這些歷史的創痛！

時光匆匆，抗戰勝利六十週年又到了，二戰的參戰國今年集會在莫斯科，盛大紀念二次大戰的勝利，而我中華民國一如往昔，政府與民間都沒有聲音，媒體只知道追逐猛挖倪夏戀，對於八年抗戰海棠血淚一字不提，文史工作者也依然不作聲，我們是二戰受害最深的國家，但卻忘記最快，這種「集體失憶症」是自發性，還是……？

這個原本美麗純樸的寶島，最近這些年卻被政治掛了帥，一年到頭拚選舉，爭權又奪利，有誰會真實的面對過歷史？有誰真正的關心過民間疾苦？

退休的總統多次說釣魚台是日本的，政府也不敢駁斥，政府駐日代表居然在日本議員集會中大唱日本軍歌，政府也不採取任何措施糾正，這個政府到底在做什麼？

二次大戰結束已一個甲子，全球犧牲六千多萬人，中國人犧牲軍民三千多萬，恰佔全球總數一半，歐洲犧牲二千多萬，亞洲地區除開中國犧牲一千萬人，這是人類有史以來作戰最久，死亡最多的一次；在歐洲，德國人為侵略戰爭罪行多次正式道歉，甚至總理布蘭德還下跪過，但在亞洲呢，傲慢的日本人，從來不情願道歉，還把「侵略」改作「進出」，把南京大屠殺說成是「中國人自己捏造的」，你說氣不氣人、嘔不嘔人？

日本憲法和「吉田書束」都明定日本官員不可以去供奉戰犯的靖國神社參拜，否則法辦。但近年來軍國主義又重新抬頭，小泉首相連年都去參拜，荒謬的是退休總統還親自去靖國神社參拜、背書，肯定這些殺人魔王是對的，他們蹧踏慰安婦，蹂躪台灣軍伕似乎都是對的。

百年前的台灣，人口不足兩百萬人，台灣總督府承認日本統治台灣五十一年間，總共屠殺了六十五萬人，佔當時總人口的近三分之一，其中不包括軍伕和戰死在南洋、太平洋諸島及海南島，廣州的戰役中。

日本侵佔台灣前後，最先有「石門牡丹事件」就在恆春四重溪附近，當地的排灣族勇士與日軍展開血戰，日軍傷亡很大最後數度增援才打敗了排灣族，還在四重溪刻碑紀念，敘述戰鬥經過。嗣後苗果的羅福星抗日壯舉，霧社莫那魯道領導的泰雅族悲壯誓死抵抗，還有台南玉井鄉的噍吧哖事件，日本鬼子實施集體屠殺，把全村一萬四千人集中起來予以屠殺，可謂慘絕人圜，這個萬人塚最近才被挖掘出來，烈士紀念碑最近才被豎立在玉井鄉。

中華民國秉持儒家精神，對於日本軍閥的殘暴惡行從來不思報復，也不求賠償，但也不能讓一個政黨主席手舉日本國旗，向靖國神社的戰犯們去做「背書」與「報恩」吧！這是不是太「離譜」一？

值此抗戰勝利六十週年的前夕，我們應懷抱崇功懷德的心情，對那些為國犧牲的軍民、慰安婦、軍休等致上最高的敬意與悼念才是。千萬不能忘記這場民族絕續存亡的殊死戰鬥，與這段喋血山河的痛苦歷史。

一寸山河一寸血

——盧溝橋抗日戰爭七十八週年回顧

潘長發

「向前走，別退後，犧牲已到最後關頭……。」「大刀向：鬼子們的頭上砍去……。」盧溝橋事變後不久，這類抗戰歌曲便響徹在校園裏，在街頭巷尾，無論大人、小孩，大家都能哼上一段。當上海爭奪戰打得最激烈時候，凡是有收音機的家庭或商店，都會圍上一堆人群在收聽、討論、和擔心。不久，上海、南京相繼陷落。南京距我家六安縣城頗近，於是「南京大屠殺」的消息，不時傳來這寧靜的小城。跟著是上海、江蘇、南京等地難民紛紛擁入，擠滿城內外的廟宇、祠堂。有一個青年團體，叫做：「江都文救會流動宣傳團」他們用標語、圖片、街頭劇等方式，在廣場、街頭、講解全民抗戰的重要，並以圖片、照片揭發日軍種種獸行。最教人觸目驚心的照片：一、日軍用刺刀挑著一個嬰兒，嬰兒在刺刀尖上掙扎，日軍卻在獰笑。二、南京城外的江邊，被殺的平民屍體堆成幾座小山。三、婦女被姦殺後，屍體暴露街頭，下半身赤裸，看了令人憤怒！我心裏想：「趕快長大，我要去殺日本鬼子！」

民國廿七年初，日軍飛機幾乎每天都來，六安縣城常遭炸彈攻擊或機槍掃射，受害最重的是北門和西門外，兩條街全被炸毀，死傷枕藉，慘不忍睹！

由於日軍轟炸加緊，我校師生同挖防空壕，我當時才五年級，力氣小，挖得好辛苦！四月十四日下午放學後，縣長盛子瑾親自沿街喊著：「各位父老，日軍快要到六安城了，趕快逃吧！免得受辱啊！」於是民眾驚恐地紛紛向西南山區逃難，走了約一百五十里，有個山中小鎮「流波䃗」就暫時停下。不久，縣城淪陷。二年後又被國軍克復，我們家庭便伴同親友還回城內。

民國卅三年，抗戰已進入艱苦的第七年，日軍繼續瘋狂的轟炸。「重慶大轟炸」更震驚世界。蔣委員長向全國廣播，號召知識青年從軍，來挽救國家危亡。不久，「一寸山河一寸血，十萬青年十萬軍」的標語出現街頭，我看了怦然心動，欲償從軍報國宿願，但因年齡不足，正徘徊報名處外，同學黃君來，我倆商定虛報兩歲，得以過關入伍。卅三年底，全國已成立九個青年師。安徽省從軍青年，原來奉命要去大後方集訓。但因日軍阻擋，過不了平漢鐵路，乃又回到六安毛坦廠，編成青年軍獨立第 631、632 兩個團，在山區裏開始集訓。卅四年八月，日本宣告投降，全國歡欣，二次大戰全面結束。

抗戰勝利已屆滿七十週年，盧溝橋抗日禦侮也正屆七十八週年，烽火血淚的八年艱苦抗戰往事，歷歷如在眼前。可惡的日本內閣和議員，一再否認他們侵略中國的事實，鐵證如山死不認錯，教人氣忿難平。椎心泣血的歷史怎麼能忘記！

民國一〇四年十二月

日本政客否認南京大屠殺
抗戰老兵遞交抗議書

朱星明

針對報載日本政府慫恿右派政客在大阪集會，否定「侵華日軍南京大屠殺」之事實，引發中央軍事院校校友會高雄縣分會強烈不滿，理事長王萬歲氣憤難平，將於二十八日率眾前往日本交流協會遞交抗議書抗議，並要求日本向所有中國人道歉，並做合理賠償。

據報載在一月二十三日於日本大阪市，有一群無聊政客與舊軍閥們集會討論，並否定發生在一九三七年十二月十三日至一九三八年二月中旬「南京大屠殺」事件，這個六十年前的世紀大屠殺事件，是中日戰爭期間，日本軍閥們在中國所犯下最嚴重、最殘酷的戰爭暴行，罪行之一，被屠殺的無辜市民與已經放下武器全無戰鬥能力的我國官兵達三十萬以上，實際被姦污受辱婦女不下八萬人，很多婦女在被姦污之後又被殘殺或支解屍體。其慘無人道的行為，世所罕見，在人類戰爭史上亦屬絕無僅有。

中央軍事院校校友會高縣分會理事長王萬歲表示，二次大戰結束已整整五十五個年頭，德國人已經謙虛地向世人道歉，並保存著部份集中營遺址，供後人警惕，勿再犯下同樣的錯誤。但奇怪的是，心胸狹隘的日本人不但不向受害最深的中國軍民道歉賠償，反而一再竄改歷史，掩蔽侵略與殘暴虐殺的事實，美化其瘋狂侵略行為，實在教人不齒，也使全體中國人及亞洲受害國家感到憤怒。

王萬歲指出，南京大屠殺的真相，被掩蓋了半個世紀，終於在近幾年陸續公開，先有塵封近六十年之久，美籍傳教士梅奇先生的紀錄片「奉天皇之命」在銀幕上發表，赤裸裸地呈現南京大屠殺時殘暴血腥實況，繼有德國人「拉貝日記」的公諸於世，繼之又有進攻南京步兵隊上等兵「東史郎日記」在南京出版，詳述其參與大屠殺的經過，並有照片實物等佐證，這些由外籍人士所發表的作品，公正、客觀，可謂鐵證如山不容狡賴，遺憾的是：在美國保護傘成長中的日本，五十年來已躍登經濟大國、科技大國，但驕傲狂妄又自大的日本人仍然陶醉在「戰爭瘋狂症」而嚴重地失去記憶，他們的「人性」與「良知」仍未復甦，他們的「人格」與「國格」都是標準的侏儒。

為表達憤怒與不滿，本月二十八日高鳳地區參與抗戰的一群老兵二百餘人，將前往日本交流協會遞交抗議書，希望日本政府不要一再慫恿右派份子胡作非為竄改歷史，這種愚蠢作法不但無助於中日之間的友誼，更加深了民族間的仇恨，也增加所有亞洲人對日本人的厭惡與不信任。最聰明的做法，唯有面對歷史的真實情況，以誠懇的態度向中國人道歉，並做合理賠償。

南京大屠殺暴行之一

附錄

日本否認南京大屠殺　激發反彈

中央軍事院校校友會高縣分會　明赴交流協會抗議

中央日報

中央軍事院校校友會高雄縣分會，不滿日本的一群極右派分于在該國政府慫恿下將在大阪市舉行一項座談會，目的是在否定南京大屠殺的事實，決定在「一二八」松滬戰爭紀念日時，前往高雄市的日本交流協會遞交抗議書。

該校友會秘書長林兆鈞指出，二次大戰結束已經整整五十五個年頭，德國人已經謙虛地向世人道歉，並保存著部分集中營遺址，供後人警惕，勿再犯下同樣的錯誤。但是，、心胸狹隘的日本人不但不向受害最深的中國軍民道歉賠償，反而一再竄改歷史，掩蔽侵略與殘暴虐殺的事實。

軍事院校校友會代表潘長發說，自七十年代初，日本極右派分子鈴木明、山本七平、田中正明等即撰文論說，全盤否定「南京大屠殺」一九九一年日本右派眾議員（現任東京市知事）石原慎太郎甚至妄言「南京大屠殺是中國人污蔑日本形象的謊言」東京地方法院某法官還鼓吹「南京大屠殺未定論」，竟將揭露大屠殺真相的前日本上等兵東史郎判定「有罪」並罰五十萬日幣，真是世紀大笑話。

世界各地凡受過現代教育的人，幾乎無人不知「安妮日記」、「辛德勒名單」以及納粹加害猶太人的報導，可是有多少人知道「南京大屠殺」的真相，就連我們政府也未認真告訴過人民。

潘長發表示，南京大屠殺的真相，被掩蓋了半個世紀，終於在近幾年陸續公開，如德國商人「拉貝日記」的公諸於世以及有進攻南京步兵隊上等兵「東史郎日記」在南京出版，詳述其參與大屠殺的經過。尤其是日本人欺侮臺灣的慰安婦與二十七萬臺灣籍日本兵，因此為了站在中國人的立場與被日本欺侮過的台灣婦女與壯丁立場、決定向日本人討回公道。

李堂安／鳳山訊

據了解，包括軍事院校校友會與中國青年遠征軍高雄聯絡處約百餘人，將在一月二十八日上午，針對日本否定南京大屠殺的事實，前往日本交流協會遞交抗議書，表達憤怒與不滿。

附錄

中央軍校校友會明赴交流協會抗議

日本大阪舉行座談會否定南京大屠殺事實

民眾日報

針對日前日本在大阪舉行一場座談會，否定南京大屠殺的事實，中央軍校之友會高縣分會昨天指出，日本不但不向中國軍民道歉，反而一再的篡改歷史，本月二十八日他們將前往高雄日本交流協會抗議，表達他們的憤怒和不滿。

軍校之友會的代表潘長發表示，選擇二十八日前往抗議，主要是當年的一月二十八日是日本侵華攻打上海的日子，他說當年犧牲的軍民不計其數，十多萬台籍同胞被拉去當軍伕都不知去向。

校友會指出，二次大戰結束已經整整五十個年頭，德國人已經謙虛的向世人道歉，並保存部份集中營的遺址，供後人警惕勿犯下同樣的錯誤，但心胸狹窄的日本人不但不道歉，反而掩蓋殘暴虐殺的行為，實在令人不齒。

該校友會說，一月二十三日大阪會議再度揭開了中國人的傷疤，刺痛了全球華人的心坎，政府一直沈默不語，但全體中國人的憤怒和屈辱卻難以壓抑。

潘長發等人說，一月二十八日高雄縣地區參與抗戰的一群老兵，將前往日本交流協會遞交抗議書，表達憤怒的心情，希望日本政府不要一再竄改歷史，這種愚蠢行為不但無助中日友誼，更加深民族間仇恨，也增加所有亞洲人對日本的厭惡，唯有面對歷史，向中國人道歉、賠償才是聰明的作法。

中華民國，爲什麼不抗議！

——日本右派否認南京大屠殺

李恩涵

貴報報導日本右派廿三日在大阪集會，聲稱南京大屠殺為「二十世紀最大的謊言」。而在此之前二日，日本最高法院則駁回東史郎上訴案（按東史郎為當年參加南京大屠殺的日本士兵之一，戰後在其回憶錄中，很後悔地坦白說出他當年在南京所參與的種種屠殺與暴行，但卻為其當年同僚、現為右派者控之於法庭，經東京地方法院初判為「誹謗罪」，被告應對原告付償日幣五十萬元；二審高等法院維持原判，現在最高法院駁回上訴，維持原判，已是三審）；這兩件事情都是第二次世界大戰後五十五年來日本朝野意圖否認南京大屠殺的重要指標。中共外交部已向日本政府提出口頭嚴重抗議、我認為我們中華民國政府也不應對此緘默，置身事外。

首先，日本軍在一九三七年十二月十三日以後歷時七、八個星期之久的南京大屠殺的事實，是有著多方面翔實的中、日、英、德文字的紀錄檔案存在的；而且，當年日本外相廣田弘毅還為此專電日本駐美大使館談及此事件之嚴重性，說明至一九三八年一月二日止，被屠殺者「不少於三十萬人」（此專電為美國所截獲破解，原件藏美國家檔案館，編號 S. I. # 一二五七／＊ 一二六三），人證物證確鑿，而且人證、物證都是有著多方面、多種文字的來源與形式的，日本右派與准右派的學者與一般人何能狡賴？他們所用的一些片面、籠統而含混的語言和扭曲武斷的邏輯推論，妄圖「否定」或「半否定」這些可靠堅實的人證、物證，是可忍孰不可忍！這種抹殺史實的做法，是我們所有中華民族絕對不能接受的。

其次，南京大屠殺的事實是經過二次大戰後戰勝國審判日本 A 級（最高級）戰犯長達二年半之久所確定的「定讞」之一，在一九五一年九月簽訂的對日和約第十一條中曾明文規定日本不得對這些「定讞」翻案的。由於國際和約的法律位階高於日本國內法最高法院的判決，所以。日本最高法院之駁回東史郎上訴案（維持原判），實已違反了對日和約的明文規定。所以，東史郎案應再向聯合國常設國際法庭，以日本最高法院為被告，而控訴之。這是從法律層面尚可與日本朝野的右派與准右派周旋奮戰的途徑之一。另在現實上，日本右派與准右派之「否定」與「半否定」南京大屠殺的史實，已形成中、日兩個民族之間的大心結：這類日本人實為一群怙惡不悛、無可理喻、嚴重抹殺事實的一群人。筆者作為一位研究東亞與世界史事四十六年之久的史學者，要略舉兩件史事以嚴重警告他們：㈠當年美國杜魯門總統之決心命令投擲原子彈於日本，正是因為杜氏認為日本人是「野蠻、狠毒、無情與熱狂的」；㈡當年（一九四五年八月）蘇聯史達林之所以下令強押日本戰俘六十萬人於西伯利亞的多處集中營內，強迫這些日俘作半飢餓性而殘酷的集體勞動，是因為史氏當時接到了日本軍閥慘無人道地支解蘇軍一些戰俘的報告之後，才下令「以暴易暴」、決不對日軍寬容的。當前日本右派與准右派之肆意抹殺事實，當也難逃類似上述兩項史實的「天譴」吧！

最後，筆者認為我們中華民國政府不應對日本右派的肆意妄為，緘默無言。認為可以置身事外。因為六十多年前南京大屠殺所屠殺的我國戰俘與非戰鬥性的市民與難民，正是我中華民國的軍民！我們高層既然宣稱繼承了一九一二年以來已建立了八十八年之久的中華民國正統，為何對日本人之否認當年的血腥暴行，不起來大聲抗議？筆者認為我們絕不應該裝聾作啞，應向這些日本右派與准右派和日本政府，表達我們最嚴重的抗議才對。

李恩涵／中研院近史所研究員（北縣板橋）

中央軍事院校校友會高雄縣分會新聞稿

潘長發

報載本㈠月廿三日，日本一群極右派份子在日本政府慫恿下，要在大阪市舉行一項座談會，目的在否定南京大屠殺的事實，讀後使我炎黃子孫感到再度受辱、氣憤難平。二次大戰結束已經整整五十五個年頭，德國人已經謙虛地向世人道歉，並保存著部份集中營遺址，供後人警惕，勿再犯下同樣的錯誤。但奇怪的是，心胸狹隘的日本人不但不向受害最深的中國軍民道歉賠償，反而一再竄改歷史，掩蔽侵咯與殘暴虐殺的事實，美化其瘋狂侵略行為，實在教人不齒，也使全體中國人及亞洲受害國家感到憤怒。

自七十年代之初，日本極右派分子鈴木明、山本七平、田中正明等即撰文論說，全盤否定「南京大屠殺」一九九一年日本右派眾議員（現任東京市知事）石原慎太郎甚至妄言「南京大屠殺是中國人污蔑日本形象的謊言」東京地方法院某法官還鼓吹「南京大屠殺未定論」，竟將揭露大屠殺真相的前日本上等兵東史郎判定「有罪」並罰五十萬日幣，真是世紀大笑話。

世界各地凡受過現代教育的人，幾乎無人不知「安妮日記」「辛德勒名單」以及納粹加害猶太人的報導，可是有多少人知道「南京大屠殺」的真象？就連我們政府也未認真告訴過人民。

南京大屠殺的真象，被掩蓋了半個世紀，終於在近幾年陸續公開，先有塵封近六十年之久，美籍傳教士梅奇先生的紀錄片「奉天皇之命」在銀幕上發表，赤裸裸地呈現南京大屠殺當時殘暴血腥實況，繼有德國人「拉貝日記」的公諸於世，繼之又有進攻南京步兵隊上等兵「東史郎日記」在南京出版，詳述其參與大屠殺的經過，並有照片實物等佐證，這些由外籍人士所發表的作品，公正、客觀，可謂鐵證如山不容狡賴，遺憾的是：在美國保護傘成長中的日本，五十年來已躍登經濟大國、科技大國，但驕傲狂妄又自大的日本人仍然陶醉在「戰爭瘋狂症」裏而嚴重地失去記憶，他們的「人性」與「良知」仍未復甦，他們的「人格」與「國格」都是標準的侏儒。

一月廿三日大阪會議再次揭開中國人的老傷疤，刺痛了全球華人的心坎，我們政府一直沉默不語，但全體中國人的憤怒與屈辱感受是難以壓抑的。

一月廿八日高鳳地區參與抗戰的一群老兵，將前往日本交流協會遞交抗議書，表達憤怒與不滿，希望日本政府不要一再慫恿右派份子胡作非為竄改歷史，這種愚蠢做法不但無助於中日之間的友誼，更加深了民族間的仇恨，也增加所有亞洲人對日本人的厭惡與不信任，最聰明的做法，唯有面對歷史的真實情況，以誠懇的態度向中國人道歉，並作合理賠償才是。

中央軍事院校校友會
高雄縣分會遞交抗議書

潘長發

中華民國八十九年元月二十八日

受文者：日本交流協會

一、案由：抗議日本政府慫恿右派政客在大阪集會，否定「侵華日軍南京大屠殺」之事實，再度傷害中國軍民，應向所有中國人道歉，並作合理賠償。

二、說明：

1. 據報載在一月廿三日於大阪市，有一群無聊政客與舊軍閥們集會討論並否定發生在一九三七年十二月十三日至一九三八年二月中旬的南京大屠殺事件，這個六十年前的世紀大虐殺事件，是中日戰爭期間。日本軍閥們在中國所犯下最嚴重，最殘酷的戰爭暴行、罪行之一，被屠殺的無辜市民與已經放下武器全無戰鬥能力的我國官兵達三十萬人以上，實際被姦污受辱婦女不下八萬人，很多婦女在被姦污之後又被殘殺或支解屍體。其慘無人道的行為，世所罕見，在人類戰爭史上亦屬絕無僅有。

2.南京大屠殺期間的當時與稍後，許多中國人、日本人、美國人、英國人、德國人所留下的公私文字紀錄、照片、紀錄片等等，數量繁多，現僅舉其大端：

（1）拉貝日記：德國西門子公司駐南京代表，江蘇出版社一九九七年出版。

（2）梅奇先生紀錄片：美籍傳教士所拍攝，定名「奉天皇之命」幾年前由其後人在美國家中地下室倉庫發現，一九九五年公開放映，震驚國際。

（3）南京大屠殺的歷史見證：章開沅著，武漢一九九六年出版，根據耶魯大學（貝德士文書）（南京京陵大學歷史學系教授）

（4）血染我山河：方志平著，一九九三年台北出版，曾獲美國務院獎勵。

（5）首都浩劫記：鈕先銘著，中外雜誌社出版。

（6）侵華日軍南京大屠殺史料：江蘇古籍出版社。

（7）東史郎日記：江蘇教育出版社。

（8）抗戰勝利五十週年紀念專輯：潘長發等著，一九九五年大海洋雜誌社出版。

3.日本的學術界亦有不少正義之士曾撰文描述南京大屠殺以及日軍其他暴行，如：洞富雄教授、吉田裕教授、石島紀之教授、曾根一夫先生等。

4.二次大戰結束已經整整五十五年，戰敗的日本國在美國的保護傘下成長，目前已是經濟大國、科技大國，但可惜的是日本國並不瞭解世界現況，仍然自我陶醉在「戰爭瘋狂症」裏，而且嚴重地失去記憶，你們沒有真正嚐到戰敗的苦果，你們的「人性」與「良知」仍然未復甦，「人格」與「國格」都是標準的侏儒。

三、結論與建議：

1.我們竭誠期望聰明的日本人，趕快走出自我設限的框架，放棄軍國主義的迷夢，敞開心胸，接受歷史的教訓與洗禮，勿重蹈錯誤的覆轍，面對現實，向戰爭期間受害最深的中國人誠懇道歉，也向受害的亞洲人道歉，對台籍慰安婦、台籍日本兵給予賠償。

2.請日本政府勿再慫恿右派政客與舊軍閥們胡作非為竄改歷史這種愚蠢做法，非但幼稚可笑，且無助於中日之間的友誼，更加深民族間的仇恨，也使所有亞洲人民對日本產生不信任與厭惡感，希能切實反省，以博取國際諒解與和諧，以創造世界永久的和平。

中華民國中央軍事院校校友會高雄縣分會

理事長　王萬歲

秘書長　林兆鈞　理　事　蔡勝隆

周玉如　閻毓齡

譚崇高　劉三幹

唐湘澄　潘長發

中國青年遠征軍高雄聯絡處

處　長　毛世英　副處長　林子彬

代　表　邱介森　鄭　楚

王秋聲

甘　煌

日本處理慰安婦事件不當到日本交流協會抗議（民 89.1.28）
（王萬歲將軍帶頭呼口號）

高雄縣中央軍事院校校友會台籍日本兵自救會等團體，在日本交流協會前遞交抗議書，由小村會長接受抗議書　民 89.1.28

東森新聞台訪問抗議活動承辦人潘長發　民 89.1.28

民國30年2月10日台灣六個抗日團體在重慶組成「台灣革命同盟會」

高雄縣中央軍事院校校友會集會抗議
日本否認南京大屠殺㈠　民 89.1.28

抗議日本否認南京大屠殺(二)

民國 33 年 12 月 10 日國軍遠征軍裝甲部隊開入緬甸(三)

聲援慰安婦譴責許文龍新聞稿
還原歷史眞相，找回民族尊嚴

潘長發

日本無聊漫畫家小林善紀，來台灣僅做了兩次短暫旅行，會晤了過氣的政客，回日本後以其日本右翼激進主張的狂妄自大論，畫出一本荒謬的「台灣論」凸顯其史觀侷限性，狹隘性，並對六十年前受盡委屈的台灣慰安婦再度施以無情的文字傷害，這不但刺傷了這些阿嬤的心，也踐踏了善良的台灣人民尊嚴，使我二千三百萬台灣同胞陷入悲情，憤怒，與無奈中。

正當媒體競相報導，朝野上下一致譴責這本扭曲歷史的漫畫「台灣論」時，卻突然冒出一個民族認同錯亂的總統府資政許文龍。以其一貫媚日態度挺身支持小林善紀，進而公開召開記者會，再度侮辱慰安婦，說她們是自願的，是父母賣掉的，更有台灣南社，建國黨等。出面為日本侵略者掩飾罪行，仗日本人之勢來欺侮我中華兒女，真不知他們流的是什麼血！

依據美國國務院最新人權報告，以及日本官方報告皆證實慰安婦並非出於自願，且日本政府已同意優先賠償韓國，荷蘭等慰安婦，最近日本作家，婦女團體，律師團等都將紛紛組團來台聲援慰安婦阿嬤，這些國際的正義之聲，正好與島內的無恥漢奸們成對比。

基於民族尊嚴，歷史真相的還原，以及正義感的驅使與人道關懷精神，我中央軍事院校之校友們，榮光婦女會的姊妹們，及新同盟會的同志們，都一致挺身而出，為阿嬤們加油喊冤，同時嚴正譴責無恥的高雄南社以及民族認同錯亂的媚日份子許文龍，以及賣國媚日的建國黨份子。

高雄縣 中央軍事院校校友會
高雄縣 榮光婦女會 同啟
高雄縣 新同盟會

聲援慰安婦，譴責許文龍

抗戰勝利六十週年音樂會

新聞稿　計畫案　活動圖片

潘長發

高雄縣中央軍事院校校友會為喚醒民心激勵士氣，恢復我炎黃子孫之自尊，唱出我中華民族之尊嚴與心聲，歌出我泣血歷史之紀錄，促使現代青年了解半個世紀前青年們之愛國情懷，從而鑑古知今，知恥奮發，特舉辦「七七抗戰勝利六十週年」紀念音樂會，將於民國九十四年六月十二日下午二時，在鳳山國父紀念館盛大舉行。

此次音樂會由立法院院長王金平、高雄縣中央軍事院校校友會聯合主辦。並由高雄縣文化局，榮民服務處、鳳山市公所等單位協辦。此次演唱之歌曲以八年抗戰時期之流行愛國歌謠為主，並穿插朗誦詩、太鼓隊、抗戰蓮花落等。內容充實而精彩，為鳳山地區多年來難得之盛會。

在八年長期抗戰的偉大時代，憂國憂民的音樂家們，以熱血沸騰的壯懷，譜就了不少喚起民眾奮勇殺敵的豪邁樂章。並組成一支支歌唱隊伍，從學校唱到街頭，從都市唱到農村，從後方唱到前方，嘹亮的歌聲，響遍長江黃河，五嶽太行，激起了全中國人的怒吼——一切為抗戰，一切為勝利。我們終於贏得那場艱苦又漫長的血淚聖戰。

今逢抗戰勝利六十週年紀念，高雄縣各界特盛大舉辦抗戰歌曲演唱會，此時此地，讓我們重溫那段艱苦的，但卻是中華兒女揚眉吐氣的壯烈史篇，更有著重大的意義。

風雨如晦，雞鳴不已，目前國家處境，危疑困厄數倍於往昔，在重聆慷慨激昂抗戰歌曲之餘，期能鼓舞「重慶精神」之再現；「國家至上，民族至上」；「意志集中，力量集中」，讓我們精誠團結，攜手同心，共創光明的未來。

立法院院長王金平國會辦公室

高雄縣　中央軍事院校校友會理事長　王萬歲

理事　潘長發

創作抗戰歌曲逾千首的音樂大師黃友棣教授後人尊稱為抗戰音樂之父

高雄縣各界紀念七七抗戰勝利六十週年音樂會計畫案

一、目的：

為喚醒民心、激勵士氣、恢復我炎黃子孫之自尊，唱出我中華民族之尊嚴與心聲，歌出我泣血歷史之紀錄，促使現代青年瞭解六十年前青年們之愛國情懷，從而鑑古知今，知恥奮發，使我中華民國日益堅強壯大，昂立於世界。

二、時間：

暫定於民國九十四年六月十二日（星期日）14:00—16:00

三、地點：

鳳山市國父紀念館演藝廳

四、主辦單位：

救國團團友會
高雄縣教育會

五、協辦單位：陸軍官校、海軍官校、空軍官校、

高雄縣長青合唱團、青年軍高雄服務處、高雄縣鳳鳴合唱團、

知音合唱團、黃埔合唱團、美濃合唱團、岡山文化婦女合唱團

六、承辦單位：高雄縣中央軍事院校校友會

七、方式：

1、邀請縣內優良音樂團隊及具有聲樂素養之個人參加演出

2、演唱之歌曲以八年抗戰時期之流行愛國歌謠以及最近編寫之抗戰相關歌曲為主

3、每一個音樂團隊以三首歌謠為原則，個人獨唱以兩首為原則

4、演唱內容經會議統一協調選定，避免重複

5、各團隊（個人）出場順序由主辦單位協調編排

6、演出時利用換場時間編排有關宣揚抗戰精神之簡短廣播詞

7、各參加團隊應提供相關資料：領隊（團長）指揮、伴奏等芳名

送至辦單位以編印節目單

八、新聞報導：

由主辦單位統一發佈新聞

九、器材、經費及人員編組：

1、舞台燈光音響、錄音及錄影均由主辦單位統一籌畫

2、各團隊（個人）所需道具服裝器材請自行準備

3、各團隊（個人）所需交通工具請自理，費用由主辦單位申請補助

4、經費預算如附表（一）

5、工作分配表如附表（二）

6、節目單如附件（三）

7、抗戰歌曲彙編如附件（四）

8、邀請單位如附件（五）

十、本計畫如有未盡善之處可經由協調後修正之

高雄縣各界紀念七七抗戰勝利60週年
音樂會民國94年6月12日於鳳山國父紀念館

全體大合唱「教我怎麼能忘」 民 94.6.12

高雄縣長青合唱團演唱「教我怎麼能忘」 民 94.6.12

知音合唱團演唱杜鵑花　民 94.6.12

鳳鳴合唱團演唱巾幗英雄　民 94.6.12

黃埔合唱團演唱「松花江上」

海軍海韻合唱團 民94.6.12
演唱「抗敵歌」

蕭菊芳唱「柳條長」 民94.6.12

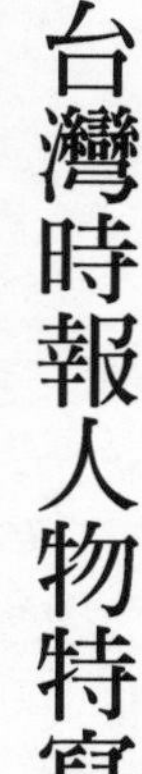

台灣時報人物特寫

李堂安

潘長發 極力彰顯抗戰精神

抗戰勝利60週年前夕 斥資舉行音樂會 盼國人記取血淚史

（記者李堂安鳳山報導）曾在軍旅耗盡人生大半歲月的潘長發（見圖），因學識淵博，同時前往師大國文系攻讀，在人生的勞力歲月階段，竟拿起教鞭春風化雨般的一展國學根底，不過人終究會離開工作單位，而潘長發並未休息，除奔走兩岸擔任文化交流的尖兵外，還在台灣將七七抗戰的史實立碑撰文，尤其是在本月十二日的七七抗戰勝利六十周年紀念音樂會，更是他一手辦理，只不過潘老對近代史的執著深究，認爲中國人不能忘掉那段泣血的抗戰精神。

潘長發說，他擔心集體失憶症的發生，因爲那是老人到了六七十歲之後的專利品，幸好還記得十年前，二戰勝利五十週年前夕，當年的參戰國，在諾曼第重演登陸戰，當年的空降部隊倖存老兵，也在諾曼第跳傘表演，只有二戰期間，獨立抵抗侵略者最久，犧牲最慘烈的中華民國卻默不作聲，政府不表態，民間沒有聲音，媒體不寫，不報導，文史工作者也都裝糊塗躲起來，大家一起默默承受這些歷史的創痛。

潘長發語重心長的說，時光匆匆，抗戰勝利六十週年又到了，二戰的參戰國今年集會在莫斯科，盛大紀念二次大戰的勝利，而中華民國一如往昔，政府與民間都沒有聲音，媒體只知道追逐猛挖倪夏戀，對於八年抗戰海棠血淚一字不提，文史工作者也依然不作聲，我們是二戰受害最深的國家，但卻忘記最快，這種是全民族的另一種「集體失憶症」。

潘長發在抗戰勝利六十週年的前夕，獨自一人拿出僅有的退休金，在本月十二日下午二時於鳳山紀念館舉行音樂會，將邀請中央軍事院校校友會及各民間的音樂社團，共同演唱八年抗戰期間的愛國歌曲。

潘長發說，應懷抱崇功的心情，對那些爲國犧牲的軍民、慰安婦、軍伕等致上最高的敬意與悼念。千萬不能忘記這場民族絕續存亡的殊死戰鬥，與這段喋血山河的痛苦歷史。

臺灣時報 九十四年六月十日

抗戰詩歌

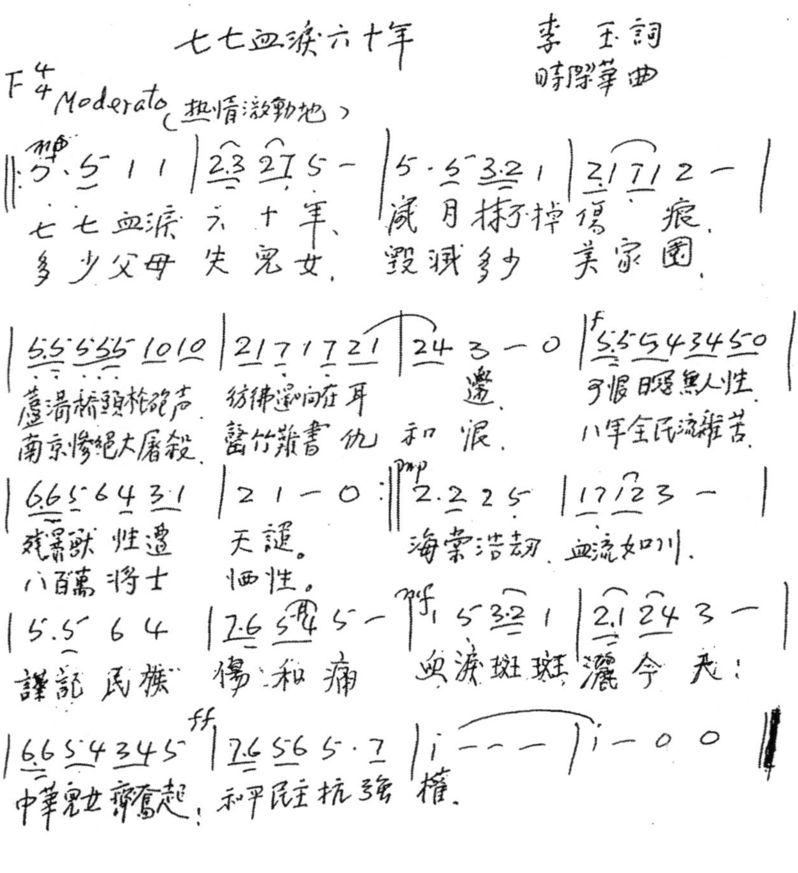

七七血淚六十年

李　玉詞
時際華曲

F 4/4 Moderato（熱情激動地）

mp
|: 5·5 1 1 | 23 27 5 – | 5·5 321 1 | 21 71 2 – |
七七血淚六十年、歲月抹不掉傷痕。
多少父母失兒女，毀滅多少美家園。

| 55 555 1010 | 21 71 72 21 | 24 3 – 0 | f 55 54 34 50 |
蘆溝橋頭槍砲声，彷彿還响在耳邊。仇恨日寇無人性。
南京慘絕大屠殺，罄竹難書仇和恨。八年全民流離苦。

| 66 5 6 4 31 | 2 1 – 0 :|| mp 2·2 2 5 | 17 12 3 – |
殘暴獸性遭天譴。海棠浩劫，血流如川。
八百萬將士犧牲。

| 5·5 6 4 | 76 54 5 – | mf 1 5 321 1 | 21 24 3 – |
謹記民族傷和痛　血淚斑斑灑今天；

| 66 54 34 5 | ff 76 56 5·7 | 1 – – – | 1 – 0 0 ||
中華兒女齊奮起，和平民主抗強權。

教我怎麼能忘㈠
——詠七七抗戰

潘長發

忘不了　不能忘
幾世紀來
大和族貪婪的目光
狠盯著這片和穆的秋海棠
不擇手段　蠶食鯨吞
想把我中國滅亡

一百年前甲午挑釁
五百年前浙閩擾邊
數不清的侵略　舊帳

我們忍了
數不清的屈辱　恨事
我們認了

廿六年七月七日
盧溝橋的砲聲
驚醒了亞洲睡獅
驚醒了中華民族的迷夢
我們不再猶豫　不再徬徨
丟下鋤頭　拿起刀槍

淞滬激戰　我軍誓死抵抗
敵寇飛機大砲的優勢
擋不住我士氣昂揚
南京大屠殺　卅六萬居民遭殃
滅絕人性的凶殘

難掩日本鬼子猙獰　獸性瘋狂

三月亡華

祇是狂言夢想

台兒莊大捷

使敵人最精銳師團膽喪

太行山　大別山

游擊健兒屢給倭奴重創

長沙三次會戰

衡陽四十八天鏖兵

騰衝喋血

怒江橫渡

強攻密支那　解救仁安羌（註）

我戰士英勇中外名揚

勝利得來不易
頭可斷　血可流　歷史不可亡
異族凌辱它是中國人最深最深的痛
青青史冊永載八年抗戰的艱辛歷程
三千多萬死難軍民冤魂在吶喊
教我怎麼能忘　教我怎麼能忘

註：民國卅一年日軍攻陷緬甸仰光，又圍攻仁安羌，被圍英軍危在旦夕，我新一軍孫立人將軍奉令馳援，以寡擊眾，擊退日軍與英軍會師。民國卅二年，我駐印青年遠征軍，奉命反攻緬甸，在密支那一役，戰鬥激烈，守城日軍全數被殲或被俘虜。

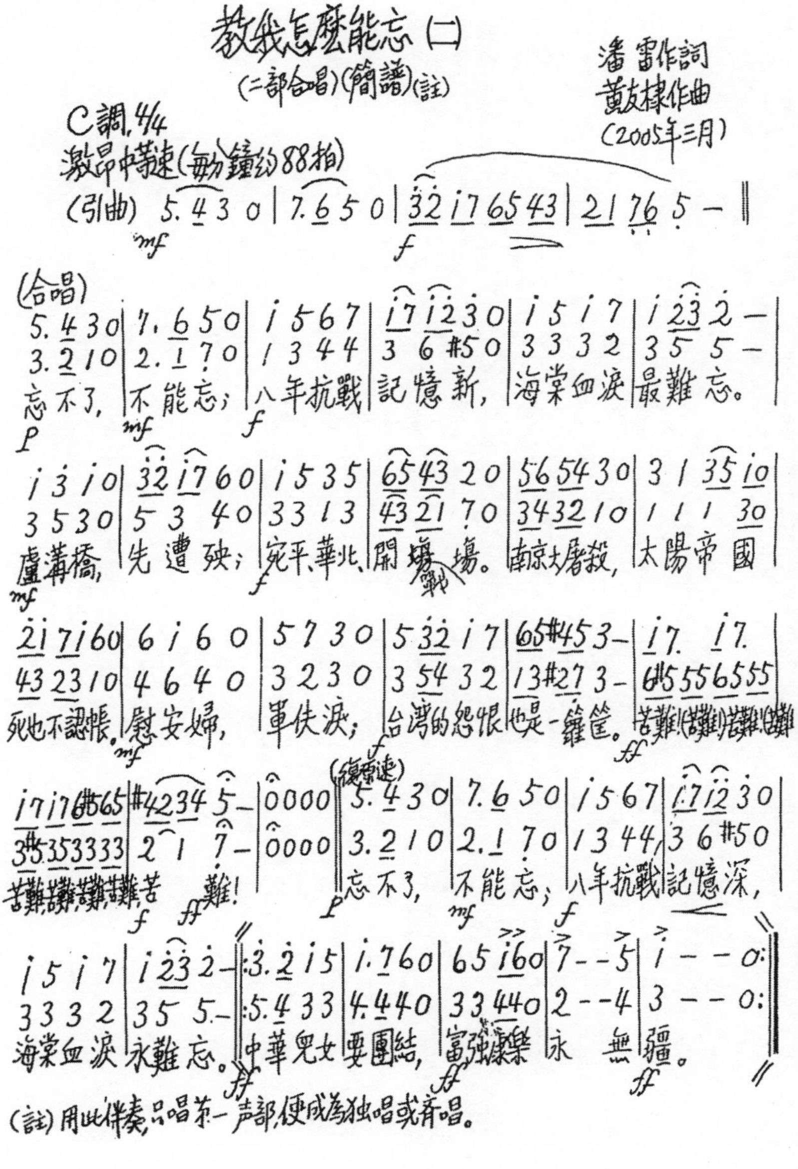

教我怎麼能忘(二)

(二部合唱)(簡譜)(註)

潘雷作詞
黃友棣作曲
(2005年三月)

C調,4/4
激昂中等速(每分鐘約88拍)

(引曲)

(合唱)

忘不了,不能忘;八年抗戰記憶新,海棠血淚最難忘。

盧溝橋,先遭殃;宛平、華北、開(戰)場。南京大屠殺,太陽帝國

死也不認帳。慰安婦,軍伕淚;台灣的怨恨也是一籮筐。苦難!(苦難!)苦難!(苦難!)

苦難苦難苦難苦難苦 難!

(復原速)忘不了,不能忘;八年抗戰記憶深,

海棠血淚永難忘。中華兒女要團結,富強康樂永無疆。

(註)用此伴奏,只唱第一声部,便成為独唱或齊唱。

(註) 用此伴奏，只唱第一声部，便成為独唱或齊唱。

台灣的怨恨 也是一籮筐。
苦難!(苦難!)苦難!(苦難!)苦難,苦難,苦難,苦難,
苦 難!
rit.
8va
Tempo I°
忘不了, 不能忘; 八年抗戰 記憶深, 海棠血淚
永難忘。 中華兒女要團結, 富強康樂 永 無疆。

碑——矗立在心中

李　玉

全國第一座七七抗戰勝利紀念碑
矗立在鳳山市國泰路旁
讓飛馳而過的車流看到
也讓受惠最大遺忘最快的路人看到
碑　矗立在山河凝固的血流中
讓千萬具戰士的枯骨看到
也讓數不清的悲慟慘烈看到
碑　矗立在八年長痛的傷疤上
讓日月星辰看到
也讓風雨霜雪看到
碑　矗立在泱泱的中華國風上

讓以德報怨看到
也讓以怨報德的日本看到
碑　矗立在國人的尊嚴上
讓二十一世紀看到
也讓百年來列強無恥而羞愧的眼眸看到
碑　矗立在鳳山
頂天立地
正如龍的傳人剛毅的脊樑
它撐住八年的堅苦卓絕
它記錄半世紀的海棠血淚
光輝的抗戰精神啊
但願如碑矗立在十二億人的心上

捨你其誰

——給舉辦「紀念七七抗戰勝利六十週年」音樂會發起人詩友潘雷

李　玉

「即使我們只是一根火柴，也要在關鍵時刻有一次閃爍」

——艾青

八年抗日戰爭
三千萬軍民犧牲
如山如嶽的屍骨
已成民族傷痛的圖騰
如河如江的血淚

已成國恥的冰川
這一頁悲慘歷史
已深沉台灣無情的深淵

×　×　×

十年前
你將它從海底撈起
刷掉滿佈忘恩的青苔
在鳳山國泰路上
隆重地建碑矗立莊嚴
盛況一時
塞途喝采
我曾躬逢其盛
為碑寫詩祈願
「碑矗立在山河凝固的血河中
讓奔馳而過的車流看到
也願受惠最大忘情最快的路人看到」

× × ×

十年如水
碑已風霜
中國人有看到
車流也許有注意到
只有無恥的政客們
全是色盲
加上日本腦炎
神經已經錯亂
變成意識形態的瘋狂

× × ×

你良苦用心
十年後的今天
要讓他們聽到如雷的怒吼
你抱著八年血淚燃燒的熱忱
抒發全球五分之一人口的心願

高擎民族尊嚴的大纛
在逆風中吶喊招展
將一塊正義的石頭
丟入沒是沒非的人間
細微的漣漪
竟澎湃在良知不泯的心田
回蕩…回響
終於在鳳山國父紀念館
匯成一首感人心肺的樂章

× × ×

徹夜豪雨不歇
似在沖刷六十年凝固的血淚
徹夜風雷
似在昭告英雄們永恆的悲壯
讓人們乘著歌聲的翅膀
重憶南京慘絕大濫殺的景況

給無情的政客們
當頭棒喝
但願不再喪心病狂
而感念付出三千萬人生命代價
才換得今日台灣能享受自由富強
把無恥的嘴臉
丟在凱達格蘭大道上
讓偉大尊嚴的七七將它埋葬

×　×　×

環顧西瓜滾滾
廉恥流亡
堅信環境再黑暗
大地總會有螢光
七七再被漠視
只要台灣海峽有濤聲
永遠有人吶喊掀浪

它是真理正義
如潮如汐不忘海洋
人人都尊崇感佩
只要國家生存尊嚴
不要腦袋的岳飛文天祥
三千萬將士與他們一樣
如流的歲月
只會讓他們更美更香
在歷史長河中永遠發熱發光

× × ×

你說是外行人辦內行事
我說真正傻瓜比任何內行人更內行
一朵烏雲遮不住青天白日的光芒
一陣歪風吹不倒正義的高樓
民族尊嚴為音樂會喝采
驕傲地為你的辛勞鼓掌

泱泱中華民族
大漢天聲如浪
老友只有你
雖千萬人而獨往
音樂會何嘗不是另一場勝仗

◎特撰「七七血淚六十年」歌詞一闕，時傑華老師譜曲，由鳳山市知音合唱團仇思華、陳麗娜、魏玉梅三位唱將在會中演唱，讓我在此盛舉中沒有留白。

吶喊一百年苦難一百年

——一個歷史見證人的獨白

潘長發

最古老的文明古國已存在六千多年
但廿世紀的科技與武器的快速發展
超越了六千年人類文明演化智識
在工業革命與武器革命下
西方世界以船堅砲利幾乎席捲了整個世界
於是東亞的太陽帝國急起直追
模仿了西方列強的一切蠻橫侵略行為
他們強取豪奪　在亞洲東方豎起了唯我獨尊目空一切的軍國太陽旗
他們先佔朝鮮　再把侵略目標狠狠地鎖定我神州大陸與台澎各島
甲午戰役　重創我海軍艦隊

又毫無忌憚的深入我東北旅順大連
旅順屠城暴露了大和民族的瘋狂獸性與凶殘本質（註）

太陽帝國的侵略野心
並未因攫取了台澎且獲得二億三千萬兩巨額賠償而稍減
大和族食髓知味更變本加厲
再毫無理由的強佔我東北全境並導演滿州國的傀儡把戲
一九三二年他們發動淞滬之戰因不能得逞而暫時罷兵
一九三七年七月七日太陽帝國再挑起盧溝橋戰役
每一個中國人都感到忍無可忍
於是展開了八年之久的全面抗日戰爭
我們以最劣勢的裝備對抗配備精良且訓練有素的軍隊
我們以堅強的意志力與韌性
打一場驚天地泣鬼神的民族自衛聖戰
這是一場關係我中華民族絕續存亡的戰鬥
終於在驚濤駭浪中艱苦奮戰獲得最後勝利

大戰結束已過了半個世紀
太陽帝國在山姆大叔的保護傘下迅速恢復
搖身一變成為經濟大怪獸
他們把經濟觸角伸向世界每一個角落
曾經被他們佔領過的亞太地區東南亞及神州大陸與台灣
更是大和族經濟侵略經濟殖民的主要對象
當帝國的家電產品汽車產品堂堂進入亞洲人的家庭時
桃太郎已經悄悄把歷史教科書修改過或扭曲掉
把侵略改成進出
把所有鐵證如山的侵略罪行戰爭野蠻暴行都一概否認
是愚蠢還是聰明呢
世界史亞洲史戰爭史不是太陽帝國一手可以遮天
因為我們都在寫歷史　大家都在寫歷史　我們都是歷史的見證人

大別山遊擊隊之歌
——為抗戰勝利七十週年紀念而作

潘　雷

白雲悠悠　綠草莽莽
千山萬壑間就是我們的戰場
我們沒有補給　沒有糧餉
甚至沒有堪用的步槍
漢陽造　湖北條子（註一、二）
已是我們的夢想
如果缺乏糧草
就到敵營裏去偷　去搶
雖然日子艱辛
我們從不徬徨

也從來不打烊
漫漫黑夜裏
扛風暴雨下
是我們進擊最好時光
行蹤飄忽就是我們的專長

我們的標準武器
祇是一把大刀
或是一稈手製的紅纓槍
為了保家衛國我們不顧生死
眾志成城慷慨激昂

總有一天
趕走鬼子兵
慶國土重光

註一：漢陽造：就是湖北漢陽兵工廠製造的步槍，很笨重，裝一發打一發，常常故障。
註二：湖北條子：也是武漢兵工廠出產，單發裝填，也很重。

石頭城悲歌

──為日本人再次否認南京大屠殺而作

潘　雷

江東門　草鞋峽
燕子磯　挹江門
中華門　新街口（註一）
同胞們的鮮血濺灑在這些土地
頓時血流成河
鄉親們的屍骨
霎時累積如山
一九三七　一二一三
至
一九三八　〇二一二
這段時間是石頭城最黑暗的苦難日子

三十萬以上的軍民殘遭屠殺
大火延燒三個月之久
古城建築物被破壞過半
奉天皇之命的日本鬼子兵
在松井石根咆哮指令下
倭奴們個個瘋狂　嗜殺如魔
向井中尉與野田中尉
把殺人當作競賽
惡魔們以虐殺強姦
來對待毫無抵抗能力的中國人
砍頭　劈腦　刀戳　穿胸
刺腹　碎屍　活埋
淹死　凍死　餓死　燒死
活人練靶　活人解剖
先姦後殺等等
這是廿世紀人類史上

空前的血腥大屠殺
也是文明人類
意想不到的酷殺與大虐殺
目擊者 倖存者
六十年後仍舊驚悚 恐懼 不安
成為終生的惡夢
心胸狹隘的大和蝦夷族（註二）
好戰 殘酷成性
歷史的鏡子 戰敗的事實
不能使他們醒悟
六十年來 他們一直不斷否認 翻案
竄改史實與矯飾狡賴
但怎能掩蓋住如山的鐵證

拉貝日記（註三）
梅奇紀錄片（註四）

東史郎日記（註五）
血染我山河（註六）
首都浩劫記（註七）
全是目擊者滴滴血淚紀實
邪惡的倭奴
你們怎能一手遮掩全世界人類的耳目

趁早省悟吧　日本人
如果不想與全亞洲人為敵
如果不願自絕於國際社會
衹有勇於認錯
承認歷史事實
承認所犯罪行
趕快打消軍國主義的念頭
才有重生的希望

註一：以上所列六處，都是日寇集體屠殺我同胞的地方，總人數達三十五萬餘。僅草鞋峽一處，被屠殺軍民就有七萬多人。

註二：日本島國之形成，是以盤踞在本州的大和族，及活躍在北海道的蝦夷族為主體。

註三：拉貝先生是德國西門子公司南京辦事處負責人，在大屠殺期間，曾救援數十萬中國人，被稱為中國的辛德勒。他曾寫下數千頁日記，紀錄大屠殺實況，一九九六年拉貝日記才被公開。

註四：梅奇先生是美國傳教士，曾用小型攝影機拍下大屠殺現場實況。其紀錄片最近才被後人發現於地下室裏。

註五：東史郎就是南京大屠殺兇手之一，當時他是南京步兵隊上等兵，參與不少侵華大戰役。其戰爭日記出版後，說出真話，對日本政府不利，竟被判有罪，罰款日幣五十萬元。

註六：方志平女士著，一九九三年台北出版，曾獲美國國務院獎勵。

註七：紐先銘先生著，他是南京大屠殺的目擊者，最先報導實況者。

第三輯　抗戰勝利五十週年

抗日戰爭暨日寇暴行圖片選錄

青年遠征軍成軍訓練

上海四行倉庫全景

八一三淞滬戰役國軍堅守四行倉庫奮勇抵抗

隴海鐵路上的難民列車

蔣委員長發起知識青年從軍報國運動

巾幗不讓鬚眉的女兵

蔣委員長在廬山發表談話：「人不分男女老幼，地不分南北東西，決心抗戰到底。」

受降儀式上，侵華日軍總司令岡村寧次向中國戰區陸軍總司令何應欽遞呈降書。

中國戰區台灣省受降典禮於 1945 年 10 月 25 日在台北舉行，圖為我方出席代表合影。

蔣委員長校閱青年軍

敵機大轟炸之後，災民回到遍地瓦礫的家園附近徘徊、哭泣、驚恐不知所措。

對中國人毒害施虐的731細菌部隊 魔鬼家族

①石井四郎軍醫中將②次男石井剛男③四男石井四郎

以殺頭為樂的日本獸兵猙獰面目
—— 此照片由日本俘虜身上搜得。

重慶大轟炸中被機槍掃射而死的平民。

甲午戰爭日軍佔領旅順準備殘殺俘虜。

日寇以排列中國人的頭顱為樂 —— 此皆為東北義勇軍的戰士。

上海一二八戰役中，被屠殺的中國平民——注意婦女皆未著褲子，定是先姦後殺的日軍獸行。

重慶大轟炸之後。

南京大屠殺暴行中被集體屠殺的中國兒童。

南京大屠殺暴行之一——市民被驅入土坑準備活埋。

這張日政府不許可刊出的照片，是日軍在廿七年五月五日沿津浦線攻徐州時沿途殘殺我善良百

「八一三」淞滬之戰，南京路外灘慘狀。8 月 14 日下午 4 時許，日軍炮彈在南京路外灘華懋飯店與江中飯店（今和平飯店的南北兩部）之間的一段馬路上爆炸，死傷 1694 人，其中外僑 15 人。

一大群日軍圍觀砍殺中國民眾的鏡頭

日軍任意逮捕無辜的中國民眾

日寇姦淫婦女後拍照留念。
（此照在日軍俘虜身上搜得）

日本軍官以俘虜作活靶練習，為士兵作示範動作。

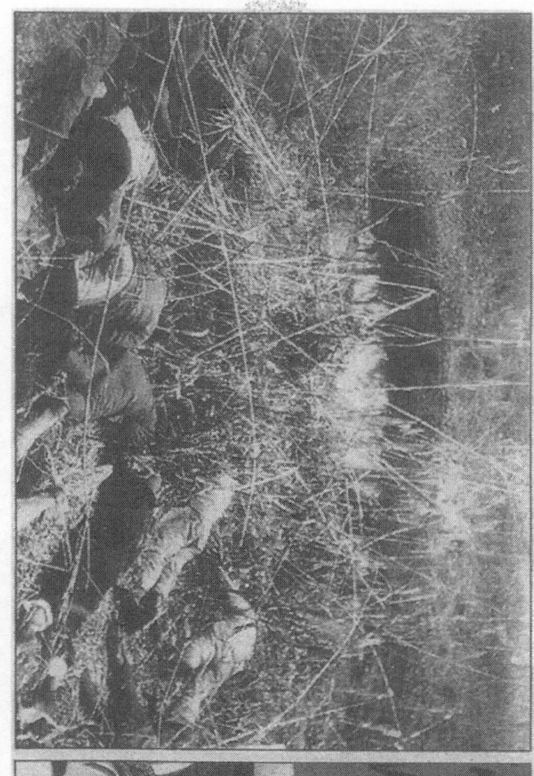

中國的辛德勒 屠殺的新見證

二次大戰期間旅居南京的德國納粹商人拉貝，當年曾詳細記錄下日本南京大屠殺的事實，他並挺身而出，利用他負責的南京安全區為中國難民提供庇護，甚至提供自己的住家收容難民。他的作為，被形容為媲美當年維護猶太人的辛德勒。

拉貝所著的「戰爭日記」，十二日由其外孫女賴因哈特夫人在美國公開（右圖，美聯社），捐給耶魯大學。左圖（本報紐約傳真）即拉貝留存的一幀「南京大屠殺」照片，屍橫遍野，為日軍當年在南京的暴行留下不可磨滅的證據。

新聞刊三版

聯盟作戰時期

慶祝臺灣光復七十週年紀念大會

中華民族七七抗戰勝利紀念碑文

曾[illegible]東

夫我中華民國歷史悠久，地大物博，為世界四大文明古國之一，其間唐虞盛世、貞觀之治，以及元代之遠征歐亞，皆有輝煌之史蹟，凡我炎黃子孫，無不引以為榮，惜乎自滿清入主中原，腐敗無能，以致國勢日蹙，民怨沸騰，加以四周列強不斷對我蠶食鯨吞，訂立喪權辱國條約，亡國滅種之禍迫在眉睫，凡有志之士，無不悲憤填膺，救國行動風起雲湧，幸有　國父孫中山先生倡導革命，先賢先烈，拋頭顱，灑熱血，前仆後繼，終將滿清推翻，成立中華民國，百廢俱興，呈現一片欣欣向榮景象，時東鄰日本有軍國思想好戰分子，不顧一切於我民國二十六年七月七日藉故挑釁，在盧溝橋發動侵華戰爭，蔣委員長率領全國四萬萬軍民同胞，以血肉之軀作殊死搏鬥，八年浴血苦戰，經過大小戰役四萬餘次，死傷我軍民約三千五百萬人，悲壯慘烈，驚天地泣鬼神，終於民國三十四年八月十五日日本宣佈無條件投降，廢除不平等條約，臺澎重回祖國懷抱，我中華民國躍居世界四強之一，今值我中華民族七七抗戰勝利五十週年，前事不忘後事之師，特循眾議立碑紀念。

鳳山市市長　林龍瑞　謹誌

中華民國八十四年十月二十五日

臺灣光復五十週年紀念碑記

曾僚東

溯自甲午戰爭，我滿清政府昏庸無能，訂立喪權辱國條約，東鄰日本佔據臺澎，我同胞在其鐵蹄之下任其蹂躪，聽憑宰割，凡有志之士，無不痛心疾首，曾舉行多次抗日運動，悲壯慘烈驚天地泣鬼神。

民國三十四年八月十五日，日本宣佈無條件投降，廢除不平等條約，臺澎重回祖國懷抱，今已五十寒暑，物阜民豐安和樂利，四季如春，成為美麗之島。

前事不忘後事之師，國人毋忘歷史慘痛教訓，增強憂患意識，精誠團結，奮發圖強，使我中華民國日益堅強壯大，千年萬世，永垂無彊之庥。

今逢光復五十週年，特循眾議立碑，以資紀念云爾。

鳳山市市民代表會主席　楊見福　謹誌

中華民國八十四年十月二十五日

抗戰勝利暨臺灣光復五十週年紀念碑籌建經過

潘長發

爰於民國八十三年問，鳳山市民潘長發，有感於次年九月三日為七七抗戰勝利屆滿五十週年，亦為甲午戰爭屆滿一百週年紀念，按甲午戰爭乃我國莫大之國恥，而七七抗戰則為我中華民族絕續存亡之決定性戰爭，犧牲慘烈，曠古絕今。經八年艱苦抗戰，喋血山河，終獲最後勝利，光復臺澎。然歷經一個世紀，國人對於慘痛之抗戰歷史漸次淡忘，為喚起國人自覺，不忘異族凌辱之羞，乃倡議建立紀念碑。幾經奔走獲得各界之響應。嗣於十月提出「籌建紀念碑系列活動計畫書」面陳鳳山市公所，獲得林市長龍瑞之允諾及支持。

八十四年五月，鳳山市代會開議，由市民代表劉德林提案，由陳秀霞、楊見福、魏明圳、林振亮以及吳福生、鍾滿生、吳昭興、蔡首三、邱佳重等代表連署，經市代會熱烈討論後無異議通過，旋由市長親勘，決定於現址興建並擇定九月四日吉時舉行動土典禮，鳳山市各界代表暨里長應邀觀禮、剪彩，儀式簡單隆重。

關於碑文之撰寫，經商得學者曾僳東先生之主稿，經建碑小組林信興技正之同意，並經市長最後審定，交付書寫，鐫刻，並於同年十月廿五日完工揭幕。

本紀念碑之設立，旨在以近代歷史慘痛之教訓，喚起國人憂患意識，同時促使後人毋忘國恥與國難，並對抗戰期間先賢先烈之慷慨捐軀，深致崇敬與追思，進而鑑古知今，知恥奮勉，使我國家日益堅強、壯大，永遠屹立於世界。

鳳山市市長：林龍瑞

鳳山市代表會主席：楊見福　　敬立

撰文：潘長發

書寫：陳美雲

說明：

一、本碑文乃二公分厚鐵板石，長為九十公分，寬為一百公分，凹刻字體貼金，崁於指定位置而成。

二、碑文內容如右圖所示：計六〇二字，字體由市公所提供。字體大小約為 2.5 公分見方，字與字間距離約 0.5 公分。

立委蕭金蘭與高雄區青年軍代表於典禮後合影

中廣記者黃倩萍訪問本書作者，詢問紀念碑籌建經過

中央日報 星期二 中華民國八十四年九月五日

七七抗戰紀念碑動土

坐落鳳山市 光復節落成

【李堂安．鳳山】南臺灣首座「七七抗戰紀念碑」昨在鳳山市舉行動土典禮，並預定「光復節」舉行落成儀式，昔日參加抗戰的老兵及遠征軍昨目睹代表追撫犧牲的軍民同胞及喚醒不忘異族蹂躪的紀念碑將建碑後，大都熱淚盈眶，並由青年軍中在高雄縣唯一的女軍張佩然向鳳山市長林龍瑞獻旗，感謝市所及市代會的建碑。

抗戰紀念碑動土典禮是於昨日上午在鳳山市南京路與國泰路交叉口的槽化綠地旁舉行，由市長林龍瑞、市代會主席楊見福、榮民服務處高雄縣處長李友德及昔日的抗戰將軍姚俊、田吉祥等五人主持動土。

據鏡訓與倡議建碑工作的潘長發老師指出，他曾參加過抗戰，親身看到中華兒女拋頭顱、灑熱血，前仆後繼，在八年的長期抗戰中，寫下了無數可歌可泣的悲壯故事，因此在中日甲午戰爭及抗戰勝利五十週年紀念日時，倡議建碑，並獲市代會決議通過與市長鼎力支持，同時也表達出日本侵略野心與殘暴事實是不容改變。

市長林龍瑞指出，因為抗戰勝利，臺灣才能光復，同時才有今日民主改革與經濟奇蹟，希望藉由這座高七點五五公尺，四個面呈錐型的抗戰紀念碑，喚醒同胞奮發圖強，使中華民國日益壯大。

少年 中國晨報

中華民國八十四年九月五日 星期二 6版

七七抗戰紀念碑 南部唯一 建在鳳山

昨天破土典禮吸引各界人士參加深具意義

（記者陳信銘／高縣報導）南部地區唯一的七七抗戰紀念碑，昨在鳳山市舉行破土典禮，各界人士前往觀禮，市長林龍瑞表示，抗戰紀念碑的興建，除追悼爲抗戰而犧牲的軍民同胞外，並使後代子孫鑑古知今不忘異族凌蹂之恥辱，繼而奮發圖強。

爲喚醒國魂，恢復我炎黃子孫之自尊與自覺，並揭發日本當年侵略的野心，及殘暴史實，鳳山市公所決定在鳳山市南京路與國泰路交叉口，興建「七七抗戰紀念碑」，紀念碑高七點五五公尺，四個面向呈錐形。

前（三）日是我國對日抗戰勝利五十周年紀念日，也是中日甲午戰爭屆滿一百週年紀念日，因此昨日舉行七七抗戰紀念碑破土典禮，深具意義，由鳳山市長林龍瑞、市代會主席楊見福共同主持儀式，邀請里長、民意代表與各界人士前往觀禮。

市長林龍瑞表示，因爲抗戰的勝利，台灣才能光復，經過數十年來的努力，完成了民主的改革和經濟奇蹟，這些都是前人犧牲奮鬥打下來的基礎。

擬策畫與倡議建碑的楊長發老師指出，甲午戰爭後，中華民族飽受日本帝國主義軍事、政治與經濟的侵略、壓榨；民國二十六年七月七日盧溝橋的砲聲，揭開八年長期抗戰，中華兒女拋頭顱、灑熱血，前仆後繼，寫下了無數可歌可泣的悲壯故事，三千萬軍民慘烈犧牲，終獲最後勝利，收復了東北，光復了台澎。

如今事隔半個世紀，日本侵略者不但毫無悔意，其內閣閣員反而一再否認其侵略事實，是否表示其「軍國主義」復活？不容忽視。

林龍瑞強調，抗戰紀念碑的興建，除追悼爲抗戰而犧牲之軍民同胞外並喚起後代子孫不忘恥辱，奮發圖強，使中華民國日愈壯大堅強。

青年軍高雄縣唯一女兵張佩然，昨日上午在紀念碑破土典禮中，致贈「愛國愛鄉」旗幟給鳳山市長林龍瑞，表彰林市長愛國表現。

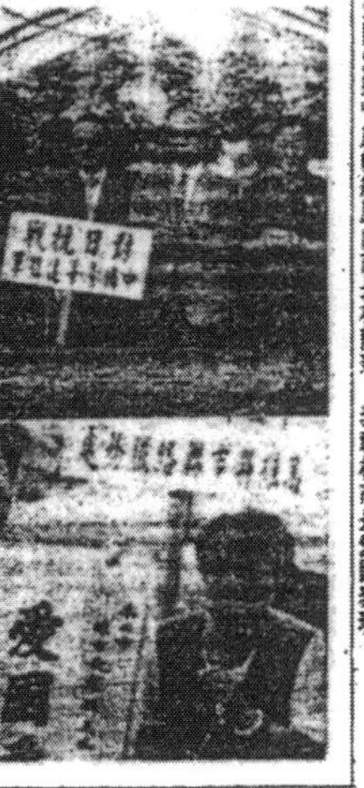

南部地區唯一的抗戰紀念碑，昨在鳳山市長林龍瑞（上左二）等人祭拜儀式後，舉行動土典禮；（下圖）青年軍在高雄縣唯一的女軍張佩然，昨贈旗給鳳山市長林龍瑞。（記者陳信銘攝）

中國時報　15　高屏澎東／人物

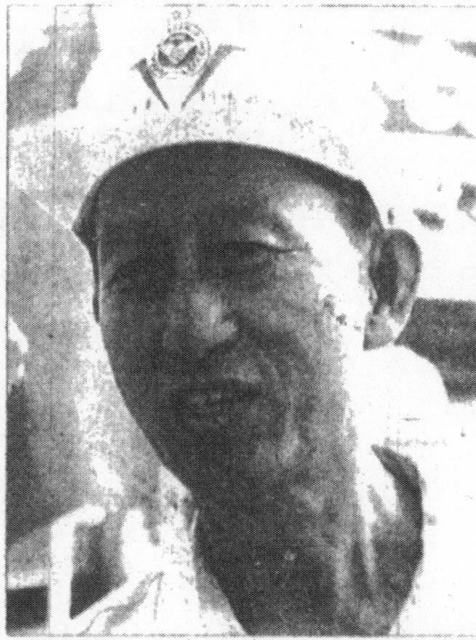

全國第一座七七抗戰紀念碑昨動土興建，是由潘長發老師倡議下興建。（周可盛攝）

地方人物

潘長發　見證抗日

催生第一座七七紀念碑　陳情四年政府才點頭

奔走四年才動土興建七七抗戰紀念碑，潘長發好不容易達成心願，昨日在動土典禮中感動落淚，他說：對日抗戰是中華民族生死存亡的關鍵性戰爭，建立紀念碑可以喚醒國魂，並恢復炎黃子孫的自尊自覺，四年前開始向中央有關單位陳情建碑紀念，反應竟然冷冷淡淡，如今地方政府展開熱烈的動土典禮，場面實在令人感動。

隨同青年軍來台灣的潘長發，十七歲從軍即參加抗日戰爭，他說：民國二十六年七月七日盧溝橋爆發戰爭，揭開了八年長期抗戰。七七抗戰是國人紀念的重要日子，鳳山市公所在五十週年勝利紀念日，舉行動土興建紀念碑，讓人非常興奮。

潘長發來台後投考師範大學，進入高雄市瑞豐國中擔任國文老師，四年前退休，當時他看到謝東閔先生發表抗戰紀念文章，對於七七抗日的全國人民一致應戰，慘烈犧牲在所不惜，謝東閔認為值得興建紀念碑，引起潘長發興建「七七抗戰紀念碑」的念頭，潘長發說：他到立法院陳情時，只有軍系選出立委蕭金蘭等人的支持外，其他立委的反應出奇冷淡，沒有辦法在立法院會獲得通過興建抗戰紀念碑。

潘長發認為七七抗戰紀念碑，應該由政府出面興建才有意義，繼續向中央各有關單位陳情，一樣沒有下文，前後陳情了四年，眼看著中央政府對於升斗小民陳情相應不理，潘長發返回鳳山市向友人劉德林訴苦，劉德林以市民代表身分提出興建紀念碑，立即獲得代表會熱烈討論表決通過，市長林龍瑞在短短的幾天中，就找到興建地點，明顯的說明地方政府施政比中央更關心人民需要，重視維護人民自尊與自覺。

潘長發在全國第一座「七七抗戰紀念碑」在鳳山市動土後，期待中央能夠興建第二座類似紀念碑。

（蔡[illegible]）

七七抗戰勝利紀念碑完工揭幕典禮新聞稿

潘長發

籌備兩年施工兩個月的七七抗戰勝利紀念碑，終於在臺灣光復五十週年的感恩日子裡完工揭幕了。十月廿五日上午十時，鳳山市黨政各界、各級民代、榮民、青年軍代表、黃埔校友會等千餘人將齊集碑前，隆重舉行揭幕典禮，為鳳山市近年來難得之盛會。

緣於民國八十三年間，鳳山市民潘長發，有感於次年九月三日為七七抗戰勝利屆滿五十週年，亦為甲午戰爭屆滿一百週年紀念，甲午戰爭曾造成我國莫大之國恥，而七七抗戰為我中華民族絕續存亡之決定性戰爭，犧牲慘烈，曠古絕今。經八年艱苦抗戰，喋血山河，終獲最後勝利，光復臺澎。然歷經半個世紀，國人對於慘痛之抗戰歷史漸次淡忘，為喚起國人自覺，不忘異族凌蹂之羞，乃倡議建立紀念碑，獲得各界簽名響應，嗣於十月提出「籌建紀念碑系列活動計畫書」一面陳鳳山市公所，得到林龍瑞市長之允諾及支持，八十四年五月，鳳山市代會開議，由代表劉德林提案，經陳秀霞、楊見福、魏明圳、林振亮、吳福生、鍾滿生、吳昭興、蔡首三、邱佳重等代表連署，經市代會熱烈討論無異議通過。旋由市長親勘，決定於現址興建，擇定九月四日吉時動土典禮，鳳山市各界代表暨里長應邀觀禮，剪彩、上香，儀式簡單隆重。

關於碑文之撰寫，經商得學者曾傣東先生主稿，並經市長最後審定，交付書寫、鐫刻，並在十月廿五日完工揭幕。

前事不忘後事之師，本紀念碑之設立，在以近代歷史慘痛之教訓喚起國人憂患意識，同時促使後人毋忘國恥與國難，並對抗戰期間先賢先烈之慷慨捐軀深致崇敬與追思，進而鑑古知今，知恥奮勉，使我國家日益堅強、壯大，永立於世界。

台灣光復 50 週年紀念碑落成典禮（民 84.10.25）

夏荷生會長偕青年軍袍澤在碑前合影，中立者為蕭楚喬，姚俊二位將軍。

鳳山各界人士在紀念碑前歡呼

紀念碑完工揭幕典禮，林龍瑞市長致詞。

鳳信電視台訪問青年軍總會長夏荷生

立法委員蕭金蘭致詞

姚俊將軍偕陸官校校友會碑前合影

省議員趙良燕致詞時，痛斥台北市搞「終戰」活動是沒有國格的「皇民」心態。

抗戰紀念碑落成揭幕剪綵，右起：資深里長趙鍾華、本書作者、執行長吳明昌。

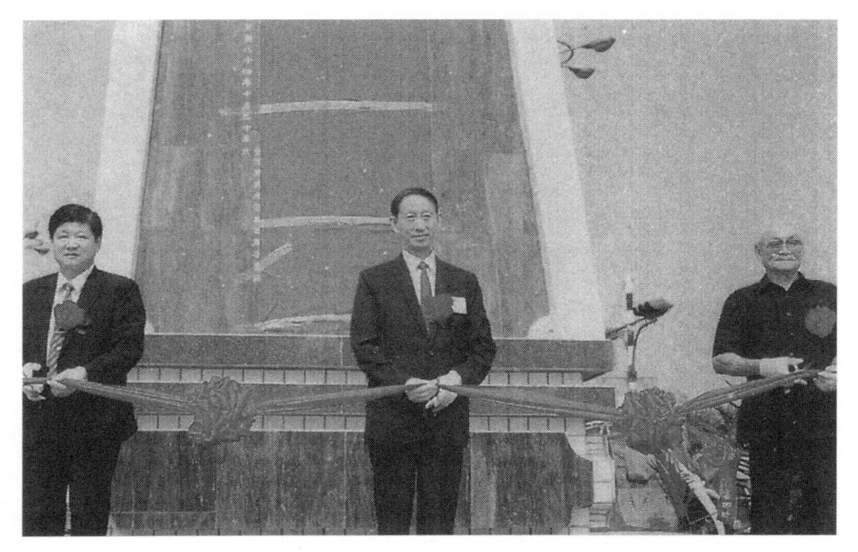

青年日報　中華民國八十四年十月二十六日　星期四　農曆乙亥年九月初三

全國首座抗戰勝利紀念碑昨在鳳山落成

記者王郁文／鳳山報導

全國首座抗戰勝利紀念碑，昨日在鳳山市落成，由鳳山市長林龍湖與立委蕭金蘭共同主持剪綵及揭幕儀式，三位參與抗戰的將軍、鄉民及黨團五百餘人參加。

興建於鳳山市國泰路與南京路口三角公園的「七七抗戰紀念碑」，高七．五五公尺，四個面向呈錐形，參與落成禮的就俊將軍與蕭金蘭立委分別說，紀念碑面對國泰路象徵國泰民安，面向南京路表示有一天「還都南京」，意義深長。

昨日的落成儀式，包括鳳山市民代表會正副主席、市代表、里長、就俊、田吉祥、李友德三位將軍、立委蕭金蘭、省議員趙良燕、當年參加抗戰的青年軍代表、軍事院校校友等數百人應邀觀禮，蕭金蘭會後贈送義工並分贈每人國旗一面，為會場壯行色。

林市長說，興建這座紀念碑，除追思為抗戰犧牲的軍民同胞，也讓後代子孫不忘異族侵略之恥，揭發日本侵華野心，從而奮發圖強固我疆土；趙良燕則批評台北市搞「終戰」活動，是再想投入日本懷抱，根本就是數典忘祖，忘記日本侵略歷史的可恥行徑。

這座紀念碑由青年軍代表聯誼會所發起；經鳳山市長林龍湖支持，並由市代表劉德林等提案，經各黨派代表中七人通過，以及在會勘後，決定興建在南京路的三角公園內。

中華民國八十四年十

中華日報

行政院新聞局局版台報字第0046號
南區郵政南台字第一五二號登記為新聞紙
社址：台南市西華街五七號
台北管理處：台北市松江路一三一號
台南總機：(○六)二二九六三八一　台北總機：(○二)五○七九五一一

CHINA DAILY NEWS
第18118號
董事長　詹天性
發行人　林時機

台灣光復50週年碑揭幕落成

座落台灣歷史文化園區　高縣鳳山市亦建碑紀念

記者王芝君／中興新村報導

台灣光復五十週年紀念碑在光復節下午三時三十分，於台灣歷史文化園區揭幕落成，由副省長林豐正代理省長宋楚瑜主持。

林豐正說，歷史是明鏡，立碑的意義在於紀載台灣過去五十年來的努力，奠定未來五十年中國人揚威世界基礎，也期勉國人以吃果子拜樹頭，飲水思源，抱著感恩的心慶祝光復節。

文獻會說，本次立碑所用的石材，為不可多得的上好石材，重達七十多公噸，高六點七公尺，寬四點二公尺，厚一點七公尺，外形狀似一顆飽滿的「台灣米」，也像一顆屹立的蕃薯，極具本土意義。石上並將五十年來台灣省民胼手胝足締造台灣經驗的奮鬥歷程撰文紀念，彰顯台灣光復五十週年的重要里程。

記者吳門鐘／鳳山報導

鳳山市公所興建的七七抗戰勝利五十週年及台灣光復五十週年紀念碑，二十五日落成，市長林龍瑞偕市代會主席楊見福主持落成儀式，近千人參加，高唱國旗歌慶祝，場面熱鬧。

七七抗戰紀念碑建在鳳山市國泰路與南京路口三角公園內，高七點五五公尺，四個面呈現錐型，四個角落都安置有一座石獅。林市長在主持落成典禮時表示，紀念碑面對國泰路，象徵國泰民安；面對南京路，表示有一天要還都南京。

落成典禮由林龍瑞及市代會主席楊見福共同主持，立委蔡金蘭、省議員趙良燕、退役將軍姚俊、田吉祥、李友邁、國民黨縣黨部書記長吳明昌及各界人士近千人參加。

林龍瑞表示，七七抗戰勝利紀念碑，主要追撫為抗戰而犧牲的軍民同胞，也讓後代子孫不忘異族凌辱之恥，揭發日本侵華的野心。

省議員趙良燕則痛斥有人舉辦「終戰五十週年活動」，取名終戰不是搞台獨，就是想再投入日本人的懷抱，那根本是數典忘祖，忘了日本人侵略中國的歷史。

抗議日本否認侵華戰爭新聞稿

潘長發

中國青年軍協會高雄聯絡處

人類歷史上作戰時間最久，傷亡最龐大慘重的第二次世界大戰已結束了五十年，在歐美各地都在舉行盛大紀念活動當中，祇有受害最深最慘痛的中華民國軍民在默默地承受著這個空前的歷史傷痛！就在日本宣佈投降日子的前夕，日本新任文部大臣島村宜伸又發表狂言囈語，否認日本曾經發動過侵略戰爭。這真是睜著眼睛說瞎話，歷史事件，鐵證如山。豈容任意狡賴？何況當年參戰官兵仍然健在，怎能讓日本狂人蓄意抹煞！竄改？

八月十四日上午，住在高鳳地區曾經參加七七抗戰的老兵們，將帶著抗議書，向日本交流協會提出嚴正抗議！表示對日本內閣之譴責，希望日本政府痛切檢討反省，勿一再刺傷中國軍民之尊嚴與舊創，早日打消「軍國主義復活」之念頭，以免導致日本未來可怕的後果！

在抗議過程中，青年遠征軍袍澤將合唱「青年軍軍歌」及抗戰歌曲，數來寶等等。

中華民國參加對日抗戰退伍老兵遞交抗議書

毛世英

中華民國八十四年八月十四日

受文者：日本交流協會

一、案由：抗議日本帝國主義，發動侵華戰爭，殘害我國軍民蒙受重大傷亡與財產損失，特呼籲日本政府，重視此一問題，並正式向中國軍民道歉及合理賠償。

二、說明：茲值我全體軍民以嚴肅心情舉行對日抗戰勝利五十週年紀念，及昔日參加對日抗戰一群退伍老兵所發起籌建「七七抗戰紀念碑」動土之際，追溯當年日本軍閥，所發動侵華戰爭，對我國軍民蓄意造成史無前例之重大傷亡，以及加害我們慘無人道罪行深感憤慨，特此向日本政府提出嚴正抗議，以表達我軍民多年來積怨已久之心聲。

甲：我國對日從事艱苦八年抗戰，所蒙受重大傷亡與損失；回顧在對日八年抗戰期間，我國軍將士，為衛國保民，與日軍展開「一寸山河一寸血」戰鬥中，經歷大規模會戰二十三次，重要戰役一千一百次，零星戰鬥三萬九千餘次，三百二十一萬多位正規戰列部隊壯烈犧牲，兩千五百七十八萬同胞慘遭日軍轟炸、砲擊或直接殺害，財產損失更是難以估計，另外日本佔據臺灣統治時期，強徵臺灣青年送到南洋充當砲灰者有三萬餘人，強迫臺灣婦女送到前線充當日軍洩慾的「慰安婦」有三百餘人，強迫臺胞認購支援所謂大東亞戰爭愛國公債達三千萬美元，當時以「德國馬克」計算，我政府透過中日交流協會，曾向日本政府進行多次交涉，要求合理賠償，迄今未有答覆。

乙：我們偉大領袖蔣委員長對日發表「以德報怨」宣言：當民國三十四年（一九四五年）八月十五日，日本戰敗日皇接受盟國波茨坦宣言，下令無條件投降，當時留在中國戰區日本軍民計有二百餘萬，我政府本應對日採取血債血還報復行動，但是蔣委員長立即發佈昭告全國軍民同胞書，決定對日採取「以德報怨」寬大政策，對日本在中國戰場上軍民，不但未有加害，並且派憲兵予以保護，最後派船艦全部遣送回國，更進一步主動向盟國建議，保留日本天皇制度，反對瓜分日本，保持日本國土完整，蔣委員長這種偉大胸襟的中國儒家恕道精神，博得中外有識之士，一致推崇讚揚，但是日本政府，至今未有感恩圖報，始終未向中國軍民認錯道歉，甚至否認侵華罪行（去年五月三日有永野茂門之誑言，今年八月十日又有文部省島村宜伸之囈語）。尤對南京大屠殺之罪行亦一再不肯承認，此種卑劣詐偽行為，令人齒冷與遺憾。

丙：我們軍民所提出抗議最低的願望：當日本政府無條件投降後，我政府已宣佈放棄戰後賠償，但是加諸臺胞苛政暴行，深盼日本政府坦誠檢討對臺胞所受的損失應當作合理賠償，有所交待，希望早日安撫臺胞這股憤憤不平怨氣，彌補臺胞在精神與心理上所蒙受沉痛創傷。因此特提出嚴正抗議，請將這份抗議書，迅速轉達貴國政府當政諸公，針對臺胞反映輿情，儘速作合理處理是所企盼。

中華民國參加七七抗日戰爭老兵代表簽名如附冊

邱介森　唐湘澄

王秋聲　甘　煌

李慶鑑　姚林濃

鄭　楚　毛世英

潘長發　李　玉

張佩然　姚素英

參加抗議老兵在交流協會門前。

交流協會高雄所主任岳下秀雄在門口迎老兵代表。

交流協會高雄所主任岳下秀雄等二人正在聆聽老兵宣讀抗議書。

唐湘澄先生正宣讀抗議書。

中廣記者伍美娟正在作現場訪問。

抗議老兵高呼：「打倒日本軍國主義」！

中華民國八十四年八月十四日　星期一　中央日報　南部綜合版　14

文部大臣否認曾發動侵略戰爭

一群老兵將向日交流協會抗議

【黃乾玉．高縣】一群住在高雄縣曾參加對日抗戰的退伍老兵，指責日本文部大臣島村宜伸發表狂言囈語，否認日本曾發動侵略戰爭，昨由潘長發、蔡清泉等人發起簽名活動，定今（十四）日上午至高雄市日本交流協會高雄分會遞交抗議書，要求日本政府重視此一問題，並正式向中華民國軍民道歉及作合理賠償。

昨以中華民國參加對日抗戰退伍老兵身分發起簽名抗議活動的潘長發指出，日本發動侵華戰爭，殘害我軍民同胞，造成生命傷亡與財產損失空前慘重，如今二次大戰已結束五十年，歐美各國都在舉行盛大慶祝活動，只有受害最深最慘痛的中華民國軍民在默默承受這空前的歷史傷痛，而就在日本宣佈投降五十週年前夕，日本新任文部大臣島村宜伸竟發表狂言囈語，否認日本曾發動侵略戰爭，這件歷史事件，鐵證如山，豈容任意狡賴，蓄意抹殺、竄改。

潘長發說，日本人的作法，令他們這些曾在對日抗戰中出生入死的老兵深表不滿，因此決議發起簽名抗議活動，目前已有二百多人連署，定今日上午到位於高雄市三多一路的日本交流協會高雄分會遞交抗議書，以表達嚴正的譴責，希望日本政府能痛切反省，勿再刺傷中華民國軍民的尊嚴與舊創，早日打消「軍國主義復活」的念頭，以免重蹈覆轍。

潘長發說，在今日的抗議活動中，他和青年遠征軍的弟兄們，要在日本交流協會演唱抗戰歌曲，以正視聽、喚醒國魂。

「終戰」五十年

潘雷

「終戰」二字是日文的漢字用法，其原意是「戰爭終了」，是日本人不肯承認侵華戰爭與「戰敗」、「降伏」的史實，故意扭曲歷史及遮醜的用語。日本人在一九四五年八月十四日接受了中、美、英三國在波茨坦所發布的宣言，而由日皇裕仁親自宣布無條件投降。這是世人皆知鐵的事實，但日本人從不認錯，「擇其惡而固執」，是日本人的劣根性。

更荒謬的臺北市政府竟然與狼共舞，捨棄「抗戰勝利」與「臺灣光復」正確歷史名詞不用，而以「皇民」心態，搬出「終戰」一詞，教全體中國人痛心！頓足！也對不起無數為抗戰而犧牲的先烈先賢。

最近日本各界正在籌畫擴大紀念「終戰五十年」並邀請世界各國元首到日本參加此項「盛舉」，我們不瞭解日本人的心態，他們是在炫耀二次大戰的侵略戰果？還是在徹底反省檢討它侵略的錯誤？依常識判斷，應屬於前者較多，眾所周知，「終戰」雖已五十週年，而日本人從不承認他們的侵略行為或者是任何過錯，無論是侵略中國或是發動太平洋戰爭，都是一樣，日本人總是昧心地說是「進出」中國，或是「解救太平洋」的戰爭，這就是日本惡劣的民族性。

另外看看德國，他們保留了二次大戰戰俘營的原樣，並且開放讓人參觀，為的是讓德國人能記取歷史教訓，勿再蹈前人錯誤的覆轍，德國人犯過錯誤，但他們勇於認錯，而日本人一再犯錯，卻從不認錯，這是中國人最痛惡、最無法理解、無法原諒的。

二次世界大戰，歐洲戰場打了五年，死亡二千二百萬人，中國戰場打了八年，中國人死亡三千萬人（軍隊約五百萬，民眾約二千五百萬）所以，中國人受害最深，創傷最巨，想想看：三千萬個家庭破碎甚至滅戶，不是個小事，而日本人寧向韓國道歉，寧向美國道歉，卻從未向中國人正式道歉過。

最近有友人從新加坡、美國等地旅遊回來，聽說海外華僑都對日本人的「終戰五十年」擴大紀念活動不以為然，旅美華人社會，正發起籌拍「南京大屠殺」的電影，出版刊物揭露日軍七三一部隊在中國東北的人體細菌實驗殘酷暴行等，都正在陸續進行，而奇怪的是：領導抗日聖戰的中華民國政府，卻在此重大日子沉默不語，噤若寒蟬。政治家如此，學術文化界也都禁口不言，這是何種心態？難道真想斬斷這段泣血的歷史嗎？還是故意將其淡化？難怪香港報紙常譏我們是心胸狹隘的「島民心態」與感情痲木的

「冷血動物」。

七七抗戰為我中華民族絕續存亡之決定性戰爭，犧牲慘烈，曠古絕今。八年艱苦奮戰，終獲最後勝利，光復臺澎。經過半個世紀，國人竟對慘痛的抗戰血淚史，刻意淡忘，殊令人俯首包羞，惶愧無地！為喚醒國魂，不忘異族凌蹂之痛，當七七抗戰勝利屆臨五十週年，我政府與民間宜攜手共同舉辦系列紀念活動，以告慰為抗戰而犧牲的無數軍民同胞在天之靈，並以揭發日本當年侵略之野心及殘暴之史實，同時應建立「七七抗戰」紀念碑，使後代子孫鑑古知今，不忘國辱。

抗戰勝利五十週年音樂會

潘長發

計畫案　新聞稿　圖片

立法委員蕭金蘭、高雄縣退伍軍人協會為喚醒民心激勵士氣，恢復我炎黃子孫之自尊，唱出我中華民族之尊嚴與心聲，歌出我泣血歷史之紀錄，促使現代青年了解半個世紀前青年們之愛國情懷，從而鑑古知今，知恥奮發，特舉辦「七七抗戰勝利暨臺灣光復五十週年」紀念音樂會，特於民國八十四年九月十八日晚上七時在鳳山市國父紀念館盛大舉行，屆時有高雄縣陸軍黃埔、空軍筧橋、教師、長青、光華、鳳鳴、美齡等七個優秀合唱團熱烈演出，並由蕭小玲女士、唐湘澄先生、史百川先生擔任獨唱。「抗戰史詩」由筧橋詩社擔綱朗誦內容精彩可期。將為南臺灣帶來一股深具震撼力的音樂界高潮。

此次音樂會由立法委員蕭金蘭、高雄縣退伍軍人協會、救國團高雄縣團委會聯合主辦。並由省議員趙一艮燕服務處、中國國民黨高雄縣委員會、榮民服務處、鳳山市公所等單位協辦。此次演唱之歌曲以八年抗戰時期之流行愛國歌謠為主，並穿插朗誦詩，抗戰蓮花落等。內容充實而精彩，為鳳山地區多年來難得之盛會。

據主辦單位指出：選定九月十八日舉行，乃因日軍於民國二十年九月十八日以閃電方式侵佔東北瀋陽，故對日抗戰實際而言九一八即已開始，民國二十六年七月七日盧溝橋之戰乃是另一條導火線的引爆，八月十三日淞滬之戰是全面抗戰的序幕揭開，自此以後，地不分東南西北，人不分男女老幼，所有各黨派一致團結，聯合起來發表宣言誓死抗戰到底，這種不屈不撓的抗戰精神，是獲致最後勝利的最大保證。

在八年長期抗戰的偉大時代，憂國憂民的音樂家們，以熱血沸騰的壯懷，譜就了不少喚起民眾奮勇殺敵的豪邁樂章。並組成一支支歌唱隊伍，從學校唱到街頭，從都市唱到農村，從後方唱到前方，嘹亮的歌聲，響遍長江黃河。五嶽太行，激起了全中國人的怒吼——一切為抗戰，一切為勝利。我們終於贏得那場艱苦的血淚聖戰。

今逢抗戰勝利五十週年紀念，鳳山市各界特盛大舉辦抗戰歌曲演唱會，此時此地，讓我、們重溫那段艱苦的，但卻是中華兒女揚眉吐氣的壯烈史篇，更有著重大的意義。

風雨如晦，雞鳴不已，目前國家處境，危疑困厄數倍於往昔，在重聆慷慨激昂抗戰歌曲之餘，期能鼓舞「重慶精神」之再現；「國家至上，民族至上」；「意志集中，力量集中」讓我們精誠團結，攜手同心，奔向三民主義新中國的坦途！

立法委員：蕭金蘭
主辦單位：高縣退伍軍人協會
救國團高雄縣團委會
總 策 劃：潘長發

紀念七七抗戰勝利
暨台灣光復五十週年

音樂會

歌曲選輯

高雄縣退伍軍人協會救國
團高雄團委會謹製
立法委員蕭金蘭
八十四年九月十八日

節　目　表

出場序	團體名稱	曲　名	負責人	指導老師
1	空軍覓橋詩社	歷史的召喚	任守純	
2	美齡合唱團	月光曲　故園情 山河戀	沈鐵莉	鄭金鳳(指揮) 鄭芳芳 陳偉新(伴奏)
3	唐湘澄(獨唱)	熱血歌 大刀進行曲		
4	鳳鳴合唱團	巾幗英雄 憶兒時	劉曉容	丁兆民(指揮) 陳琪琪(伴奏)
5	蕭小玲(獨唱)	杜鵑花 夜夜夢江南		
6	覓橋合唱團	八百孤軍　戰士之歌 冬夜夢金陵	任守純	陳惠群(指揮) 王滿齡(伴奏)
7	唐湘澄(獨唱)	抗戰蓮花落		
8	光華合唱團	長城謠　柳條長 桃花舞春風	徐雪子	張國棟(指揮) 陳志旗(伴奏)
9	教師合唱團	大中華　抗敵歌 滿江紅	鄭貴蓮	陳嘉惠(指揮) 謝易靜(伴奏)
10	史百川(獨唱)	杯酒高歌		
11	長青合唱團	我愛中華 農家謠	伍玉合	李長傑(指揮) 林淑芬(伴奏)
12	黃埔合唱團	流亡三部曲 凱旋歌	林德政	廖　葵(指揮) 王碌松(伴奏)
13	全體大合唱	中國一定強		李長傑(指揮)

筧橋詩社朗誦史詩：「歷史的召喚」。

高縣教師合唱團演唱：「抗敵歌」。

美齡合唱團演唱：「山河戀」。

黃埔合唱團演唱抗戰名歌「流亡三部曲」，
台下許多聽眾被歌聲感動得熱淚盈眶！

光華合唱團演唱「長城謠」。

唐湘澄先生演唱「抗戰蓮花落」。

從前，有一個七七抗戰

潘長發

記得二十年前的今天，正是甲午戰爭一百週年暨七七抗戰勝利五十週年的雙重紀念日子，中華電視台曾經製作專輯播放，內容包括歷史人物專訪，戰爭紀錄片、街頭訪問等。人物專訪裏令人印象深刻的是南京大屠殺中倖存者李秀英女士，她在民國廿六年十二月十三日下午在一所小學的地下室裏為反抗強暴而空手跟三個日本兵博鬥，被刺卅多刀，後來被教會醫院救活。目前李秀英正在東京，由日本教授團資助，控告日本政府，訴求給予戰爭暴行賠償。

街頭訪問中，百分之八十以上的日本年輕人，根本不知道日本曾經侵略過中國，也不知道有南京大屠殺，重慶大轟炸等事實。關於大陸和台灣地區青年同樣對中日戰爭印象模糊。因為前者是日本文部省把中小學歷史教材竄改；後者是我們自己的教科書把七七抗戰這一部分編撰太少、太簡略。

「國可亡，歷史不可亡。」「民族仇恨可以寬恕，但歷史不可忘記。」

日寇侵華百年回顧

日本自明治維新之後，積極擴充軍備，把「對外侵略」與「殖民」當作國家政策；甲午戰後，日本軍閥更看清了滿清政府的積弱，便把侵略矛頭對準了中國，一九〇〇年八國聯軍攻北京，日本出兵最多、最快，在平津一帶劫掠金銀財寶與骨董也是最多。一九一四年歐戰爆發，日本趁機佔領青島與膠州灣以及膠濟鐵路及沿線各礦區。一九一五年日本要挾袁世凱接受喪權辱國的廿一條件，並於五月九日簽字，造成歷史上的「五九國恥」。一九三一年九月十八日日本關東軍製造萬寶山事件佔領瀋陽，兩個月內佔領全東北。一九三二年一月廿八日傍晚，日本海軍又開啟淞滬之戰，我駐上海十九路軍奮起抵抗，戰鬥激烈，粉碎敵軍多次攻勢，戰至三月四日國際聯盟出面斡旋，乃於五月五日簽訂停戰協定。

民國廿六年（一九三七）七月七日，盧溝橋事件爆發，揭開了全面抗戰的序幕，這是自一八九四年甲午戰後日本歷次侵華血債之總結算，每一個中國人都感到忍無可忍，實在是「犧牲已到最後關頭」於是蔣委員長在廬山發表談話宣稱：「地不分南北東西，人不分男女老幼，團結一致抗戰到底。」

八年長期抗戰，喋血山河，無數同胞遭受日寇肆虐，蹂躪，其凶殘獸行罄竹難書，這一場驚天地而泣鬼神的民族自衛戰爭、關係我整個中華民族的絕續存亡，終在驚濤駭浪中艱苦奮戰獲得最後勝利，光復了台澎和東北，解除了百年來列強所迫訂的不平等條約枷鎖，成為世界四強之一。

歲月不居，七七抗戰轉眼已屆七十週年，昔日喋血沙場的將士多半凋零，世人或已淡忘這段慘痛的泣血歷史，吾人在此值得紀念的歷史時刻，當以感恩心情追懷先賢先烈之為國捐軀而慷慨赴義，在漫長的八年抗戰所有的二千九百五十七天裡，每天都有可歌可泣的悲壯故事，非簡牘短篇所能盡言，以下僅將八年抗戰中之重大戰役或事件作概要敘述：

盧溝橋上風雲起

民國廿六年七月七日駐豐台日軍正在盧溝橋附近演習，日軍藉口一名士兵失蹤，要求入宛平縣城搜查，不久失蹤日兵歸隊，日軍仍要求入城調查，旋即向宛平城進攻，第二十九軍卅七師二一九團團長吉星文以守土有責，立予還擊，雙方射擊約一小時，當日軍突擊盧溝橋時，受我軍斜面陣地火力射擊，被打得落花流水，時在七月八日拂曉四時五十分，世稱「盧溝橋事變」。

日軍考慮以其目前駐屯軍，實非我廿九軍之對手，意圖拖延時間以待援，於是藉談判誘我軍疏於防備，至七月廿八日增援之關東軍開到，即發起平津南苑之戰，日軍以機械化旅團，配以飛機四十架，進攻南苑及團河，守軍一三二師、以大刀襲擊日軍聞名的趙登禹師長，親率官兵奮勇衝殺，身中廿二彈壯烈成仁，所部官兵全部殉國，何其悲壯！

當南苑猛烈激戰時，北平城外之團河亦在苦戰中，副軍長佟麟閣，在奔馳指揮時，不幸中彈殉國，團河之戰失利。七月廿八日下午宋哲元軍長決定二十九軍退守保定，留張自忠為北平市長，卅八師副師長為天津市長。張自忠受命後，不禁泫然涕下，一俟部隊完全撤出北平，達成遲滯日軍之目的，即化裝平民潛出復命。

平津陷落後，蔣委員長於七月卅一日發表告全體將士書，八月七日召開國防會議，決定全面抗戰採持久消耗戰，以粉碎日軍速戰速決之迷夢。

八一三淞滬大戰

平津淪陷後，盧溝橋的戰火，向南北兩方擴張，北方擴展到察哈爾，南口、忻口、太原；南方則擴展為最激烈的淞滬大會戰。蔣委員長盱衡全般戰局之發展，粉碎日軍「速戰速決」之夢想，先以七個師向察哈爾、南口進發，以拊北平日軍之背，並置大軍於山西，對沿平津線之作戰形成側翼威脅。更以七十個師的兵力，先後投入淞滬會戰，迫使日軍將主作戰線由華北移置華東，即在改變其由北到南，成為由東到西軸線。淞滬會戰與日軍激戰三個月之久，掩獲長江下游大量戰略物資及工業西遷，接成有機體的大後方，加大縱深，以利持久抗戰。

八一三淞滬之戰，起因是日軍在上海虹橋與當地保安隊發生衝突，日軍集結海軍陸戰隊暨陸軍約萬餘人，逼迫我保安隊撤出上海，經我方拒絕後、日軍即於八月十三日上午九時沿四川路、江灣路、軍工路向我軍攻擊，淞滬大戰即告揭幕。由於國軍先後投入淞滬戰場有七十個師及七個旅向日軍猛攻，雙方死傷慘重，迫使日寇七次向上海增援，由十萬增至二十多萬人，計動員六個師團，兩個旅團及陸戰隊等，另配大砲三百門，戰車兩百輛、飛機兩百架傾巢來犯，經我精銳部隊迎頭痛擊，血戰三月寸土必爭，日本人曾揚言三天攻下上海，三個月征服中國，至此死傷慘重，屢屢求援無以自喻。惟仍挾其陸海空聯合作戰之火力優勢在瀏河強行登陸，與我朱紹良、羅卓英、薛岳三個集團軍對峙於北站，劉行、瀏河之線，展開激烈的陣地戰往返衝殺，感天地而泣鬼神。

八月二十日，日軍以飛機、坦克掩護，向我寶山城猛攻，我軍九十八師五八二團第三營營長姚子青率部死守不退，血戰九晝夜後，全營官兵壯烈成仁。

十月五日敵軍以戰車廿輛攻我徐宅第十一師雷漢池營，施放毒氣，我士兵十八人各以手榴彈捆紮於全身，伏於戰車下，使車毀人亡，死事之壯烈，中外為之震駭！雷營長亦在毒氣火海下、受傷不退，與陣地共存亡。

綜觀淞滬會戰日軍挾其海空優勢及精銳武器向我進攻戰況慘烈，日軍動用總兵力逾廿多萬人，傷亡十多萬人。我軍投入七十個師、傷亡逾三十萬人，陣亡軍長一人，師長二人，旅長九人，團長三人，營、連、排長從略。淞滬之戰我方物資、設施、人員等損失慘重，但卻打破敵人三個月亡華之迷夢，壯國際視聽。

南京大屠殺——奉天皇之命

淞滬會戰於十一月九日結束，我軍主力撤向浙皖邊境，日軍主力則沿京滬線直迫南京，廿六年十二月十二日，雨花台、紫金山各要點先後失守，敵軍突入中華門、光華門，發生巷戰，南京衛戍司令唐生智以戰局無法挽回，遂下令棄守，分路突圍。惟原係破釜沉舟準備死守，初無撤退計畫，故僅向東方突圍之六十六軍安全轉移浙皖邊區外，大部均與城共存亡，壯烈成仁。

十二月十三日敵寇佔領南京後，即「奉天皇之命」展開為期三個月的血腥屠殺：縱兵放火、劫掠、姦淫，將我無辜民眾，及失去抵抗力之徒手士兵，每百人用繩索捆綁連在一起，用機槍掃射，或用汽油焚燒，或將徒手士兵綁在樹幹，當作活靶練習刺槍。至於被強暴婦女，則難計其數，有遭強姦後割去雙乳，或用刺刀剖腹使肚腸外流，或裸其下體攝影而相顧為樂。有一位婦女一天之內被輪姦三十七次者，上至八十歲老婦，下至十二歲幼女，凡被日軍發現無一能倖免其難。年青或壯年男子，全趕至新街口廣場或江邊，予以射殺，僅草鞋峽一處，即集體屠殺七萬多人，屍體堆積如山，數月未處理、腐屍臭味遠飄數里，於臨河地帶屠殺則推入江河，屍體塞滿河流，長江流水為之色赤，浮屍漂流三月未盡。

東京「日日新聞」隨軍記者撰文，題目：「紫金山下」報導准尉向井和野田約定殺人比賽，野田殺了一百零五人，向井殺了一百零六人；因此二人約定重新再賭，看誰每天殺滿一百五十名中國人。

據日俘自稱：南京大屠殺乃是「奉天皇之命」是天皇交待要「對中國膺懲」。國際救濟委員會設婦女收容所於金陵大學，日軍以刺力尖脅迫交出婦女七百人，以卡車運往營區，有去無回。統計南京婦女被日寇凌辱至死者，在十萬人以上。屠城三個月殺我同胞初估在三十六萬人以上，一時道路皆赤，江河浮屍任飄流，數月未盡，令人不忍卒睹。滔滔長江水，那是中華民族的淚，那是抗日將士的血。南京全城血腥撲鼻，往日繁華頓成鬼域。

抗戰勝利後，石美瑜律師審理當年南京屠城之主要戰犯師團長谷壽夫，辯論終結處以死刑，敘述其死刑之理由長達五千餘言，被害人李秀英、郭歧、殷有餘等出庭作證，痛陳如繪。民國三十六年四月廿六日中午這個殺人魔王谷壽夫終於南京雨花台執行槍決，行刑時大雨滂沱，圍觀者如堵。

長沙三次會戰

第一次長沙大捷作戰概要：民國廿八年九月初，日軍設立對華派遣軍司令部，任西尾為總司令，企圖打開軍事僵局，首先以長沙為攻擊目標；湘北之敵於十九日起，向我新墻河南岸第五十二軍陣地進攻，並施放毒氣煙幕掩護其渡河；我軍冒毒火抵抗，激戰三日敵未得逞，迄廿三日晨，敵在其海空軍協力下分三路進犯，十月二日我軍反攻，猛烈圍剿日軍大敗，我軍追擊，當地民眾紛起協同殺敵，日軍望風潰逃，死傷四萬人以上。敵經半年準備，挾陸空十五萬之眾，不顧人道大量使用毒氣，殊不料大遭挫敗，促成我長沙會戰第一次大捷。

第二次長沙大捷作戰概要：民國卅年九月中旬敵採閃擊戰向我猛攻，一度進入長沙，我軍集結後全力反攻痛殲犯敵，此役日軍傷亡四萬三千人，我軍傷亡三萬餘人。陣亡師長李學卿，副師長賴傳湘。

第三次長沙大捷作戰概要：自民國卅年十二月八日，敵發動太平洋戰事以來，為牽制我軍增援廣九，即發動第三次長沙會戰，敵對我兵力部署判斷錯誤，冒險進犯，遭我軍包圍痛擊，損失慘重，此役日軍傷亡五萬六千九百四十四人，俘敵一三九名，比進攻香港日軍傷亡多兩倍半，我軍傷亡二萬七千人。

限於篇幅，尚有台兒莊會戰，武漢會戰、常德會戰、棗宜會戰、衡陽保衛戰，遠征軍緬北揚威等均未列入。

結論

七七盧溝橋事變，使中華民族面臨存亡絕續之最後關頭，我們被迫奮起作長期浴血抗戰，我國第一次徵發兵員一千八百萬人，續有十萬青年一寸山河一寸血之號召，全國愛國志士，知識青年均一致奮起響應，投入此一捍衛國家抵抗侵略之聖戰。抗日戰爭凡三萬八千九百卅一次，主戰役一千一百一十七次，大會戰廿二次，傷亡官兵及死難同胞三千五百萬人。（最新史料）日軍暴行擢髮難數，僅南京大屠殺即逾卅六萬人，江水盡赤，草木含悲，江河浮屍漂流數月未盡。較此更加殘暴者，那就是亙抗戰全期，使用不人道且違反國際公約的化學戰劑一千三百次，並在東北哈爾濱設立七三一細菌部隊，把戰俘作活體解剖實驗，以發展細菌戰，使一村、一鄉人民全部感染病亡，在人類文明史上留下最慘酷、最醜惡、最可恥罪大惡極的血腥紀錄。

隨著日寇鐵蹄蹂躪我中華錦繡大地，在長達數千公里的戰線中，沒有一村、一鄉、一鎮、一城能免於殘破，所有廬舍化成廢墟，一億以上百姓流離失所，過著「流浪逃亡，逃亡流浪」的生活。由於日寇的大轟炸、大屠殺，使我三千萬個家庭因而破碎甚至滅戶。這是中國人所遭受到史無前例的最大災難與屈辱！也由此暴露出大和民族的凶殘、陰狠、惡毒、與醜陋的本質。

這段悲慘的海棠血淚，是整個中華民族的蒙難史，是每一個炎黃子孫永遠的痛！是全體中國人烙印在心坎上抹，滅不掉的深深傷痕！緬懷這一頁慘痛的過去，更宜惕勵未來，發揚堅苦卓絕的抗戰精神，精誠團結，迎向璀璨的明天。